名画の生まれるとき

美術の力Ⅱ

宮下規久朗

光文社新書

まえがき

美術というものは、生活する上ではなくてもかまわないし、必需品ではない。しかし、ある人々にとっては必要なものであり、あったほうが生活や人生が豊かになるものである。

そのことは人生経験とともに徐々にわかってくることが多く、若いころには気づかないことが多いようだ。毎年、多くの大学生に教えてきて感じるのは、まったく美術に関心のない者には美術についてどんなにおもしろいことを言っても無駄であるという事実である。人間の興味の幅というものは意外に狭く、美術は、関心の薄い者にはおもしろくもなんともないものだ。私のように、幼少時から誰の影響でもなく美術が好きで仕方なかった変わり者は例外として、普通の人間にとっては、美術といえば学校で無理に描かされた下手な自分の絵の苦い記憶であり、それ以降はまるで縁のない世界となっている。

日本の美術教育はこうした実技、つまり「お絵かき教育」に偏重しており、欧米と違って美術鑑賞や美術史を教えることがほとんどないため、大半の日本人は生涯に一度も美術館に足を踏み入れることなく死んでいくのである。そのため、美術は実技であるという固定観念にとらわれ、美術を味わうには芸術センスが必要だとか、好き嫌いだけで見ればよいのだとかいう誤解が蔓延《まんえん》してしまった。

元来、美術というものは歌謡曲や映画とちがって、すぐに誰にでも入ってくるような安易なものではない。言語と同じく、ある程度の素養が必要であり、センスや好き嫌いではなく、前提となる知識があってはじめて理解でき、感じることができるものなのだ。こうした知識は日本の学校教育では得られないが、美術館に足を運び、適切な美術書を読むことによって培うことができる。

育った環境や経験（ハビトゥス）、遺伝的要因もあるだろうが、それらに関係なく、ある程度の知識と鑑賞経験が蓄積すれば、誰にでも訴えかけてくるものであり、そのおもしろさに気づいた人間にとっては、生涯の趣味となることもある。若いころにはまったく無関心だったのに年をとってから急に興味がわくことも多い。

古今東西を通じて造形文化が存在しない社会や文明はない。美術は分け隔てなくあらゆる人間に作用するものである。そして、歴史を振り返れば、美術は優雅な鑑賞の対象などに留《とど》まるものではなく、あらゆる文化圏において、政治経済、思想宗教、生と死に関わる真摯《しんし》な営みであり、人間にとって必要不可欠な文化活動の中心であったことがわかるのである。

本書はこうした観点から、長年、美術史という学問に携わり、美術について日々考えている私が様々な美術をめぐって論じたエッセイ集である。

第一章「名画の中の名画」は、著名な巨匠や名画をめぐる話である。誰しも知っている名画や巨匠には好悪を超えた普遍的な力があり、見飽きることはない。カラヴァッジョの《聖マタイの召命》やベラスケスの《ラス・メニーナス》、レンブラントの《夜警》などは、美術史を画した教科書的な名画だが、その意味や魅力は完全には解き明かされていない。優れた作品というものはつねに鑑賞者に開かれており、何度見ても新たな感動や問いを与えてくれるのだ。そして、歴史に名だたる巨匠たちにはそれなりの力があり、彼らの作品の多くはつねに奥深く魅力が尽きない。

第二章「美術鑑賞と美術館」では、美術鑑賞の場について考える。近代の西洋で成立したミュージアム（美術館・博物館）は、美術作品を鑑賞する特権的な場となって世界中に普及した。それらは作品や資料に芸術や歴史という意味を与えて祭り上げる一方、作品が本来もっていたそれ以外の文脈を見えにくくしてしまった。そのため近年、ミュージアムに対する批判や見直しもさかんであり、新たなタイプのミュージアムを模索する試みや脱ミュージアムの運動も多い。マルタ島のように、世界遺産という制度を利用して島全体をミュージアムとする地域もある。だが、特定の美術家の回顧展や美術史的な見識に基づくテーマに沿って美術館で開催される展覧会は、いまだに大きな有効性をもっており、つねに美術の見直しに寄与している。

第三章「描かれたモチーフ」は、特定のモチーフに注目して美術を眺めて比較することの魅力を紹介する。古来、人間のあらゆる文化や生活と結びついてきた酒や、人間の友としてもっとも身近な動物であった犬、自然の中のありふれた雲や波、美しい夕日というものは、美術の中でどのように表現され、どのような違いがあったのだろうか。

第四章「日本美術の再評価」では、最近のいくつかの展覧会をもとに、日本美術の特質について考え、再発見された美術や美術家について紹介する。日本美術は、中国や西洋の影響によって形成され、その間で揺れ動いてきたが、つねに独自の表現を生み出してきた。日本にいるかぎり、私たちは日本美術の現物を見る機会に恵まれており、コロナ禍によって減少した西洋美術の展覧会に対して、毎年のように日本美術の本格的な展覧会が開催され、古社寺も随時公開されている。海外旅行が困難になった現在、本物に対面する喜びを体験できるのは日本美術ならではのものだ。

第五章「信仰と政治」は、美術を推進するもっとも大きな原動力である宗教と政治について考える。西洋美術の大半はキリスト教と結びついている。フランス革命後の近代の市民社会においてキリスト教の影響は減少したとはいえ、それは今なお美術の底流に脈々と流れている。マカオや長崎は、東洋にかつて一時期だけ存在したキリスト教信仰の高まりを今日に伝えている。二十世紀後半に社会主義の桎梏《しっこく》を脱したロシアでは、キリスト教信仰が再燃し、社会主義リアリズムの祖とされていたレーピンのような巨匠の宗教画が再評価されるなど、美術史の見直しも進んでいる。また、社会主義やナチスの負の遺産としてタブー視されていた美術の再評価も起こりつつある。美術における政治的要素は、現代でも各地でしばしば物議をかもしている。美術はつねに現実社会と密接に関わっているのだ。

第六章「死と鎮魂」では、美術でもっとも重要な主題である死について考えた。古今東西を問わず、現存するほとんどの肖像画は、墓碑と同じく、死を契機として生まれたものであることはあまり知られていない。美術の多くは人間のもっとも切実な問題である死と結びついている。最近、世界はコロナ禍で多くの死を経験したが、中世以来、疫病が流行するたびに聖母や神仏の画像が引き出されては熱心な信仰を集めた。こうした危機の時代において、美術はまさに社会の中で必要とされ、生きていたのである。

以上、近年の展覧会や時事的な話題に触発されたものが多いが、いずれも美術の普遍的な問題につながっている。ただし、美術について語るとき、ただちに「芸術とは」「美とは」という無意味な抽象論に向かうのではなく、あくまで個々の具体的な作品や作家に密着し、それに基づいていなければならないと思っている。

美術は美術館にあるものばかりではない。かたちあるもののすべてが美術になりうる。道端の地蔵にも路上の落書きにも注目すべき美術はある。そして廃寺や土蔵に打ち捨てられた絵馬や掛け軸も、ときに名画になることがあるのだ。ただし、自分がよいと思ったらそれが名画だということではない。そのような個人的な趣味ではなく、ある造形物が社会的・文化的・歴史的な意味や価値を持つとき、それは美術作品となり、そのうちでとくに質が高くて力のあるものが多くの人に見られ、語られることによって、名画や名作になるのである。そのような名画でなくとも、ある種の力を持っている作品は無数にあり、名画への途上にあるものも多い。「名画の生まれるとき」というタイトルはそのような意味でつけた。前著に続く「美術の力」というサブタイトルは、個々の作品に宿って見る者に働きかける美術の本質、原点、底力、あるいは魂といった意味である。

一貫した論というよりは断章的であるため、どの話から読んでいただいてもかまわない。自らの鑑賞体験を振り返る契機となり、今後の鑑賞に役立てていただき、少しでも美術への関心を深めていただければ幸いである。

名画の生まれるとき　美術の力Ⅱ　目次

第二章　美術鑑賞と美術館　73

第三章　描かれたモチーフ　111

第四章　日本美術の再評価　155

第五章

信仰と政治

第一章

名画の中の名画

名画のはらむ新解釈

カラヴァッジョ《聖マタイの召命》の「マタイ問題」

美術史学という学問は、古今東西の美術作品から意味を読み取り、それを歴史に位置づけるものである。日本では、美術といえば、感性や好き嫌いでながめるものだと思われがちだが、そうではなく、美術は文字と同じく知性を動員して見て考えるべきものである。西洋では古来、美術は文化の中心とみなされてきた。そのため多くの国では、日本とちがって、美術をどう見るかという美術史が義務教育に組み込まれているのだ。

私はイタリアのバロック美術を専門としており、主にその先駆者の画家カラヴァッジョを研究してきた。この画家が一六〇〇年にローマで発表したデビュー作が《聖マタイの召命》（1-1）で、劇的な明暗効果や現実的な描写によって従来の宗教画を刷新し、バロック美術の幕開けを告げた。しかし、この美術史上の名画にはまだわからないことがある。肝心の主人公の聖マタイがどこにいるかで意見が分かれているのだ。これを「マタイ問題」という。

1 - 1　カラヴァッジョ《聖マタイの召命》1600 年　ローマ、サン・ルイージ・デイ・フランチェージ聖堂

二〇二〇年、私はこの問題について一冊の新書（『一枚の絵で学ぶ美術史　カラヴァッジョ《聖マタイの召命》』ちくまプリマー新書）を書いた。

ある日、キリストは収税所に入って行くと、そこで働いていた徴税人レビに、「私についてきなさい」と言った。レビはすべてを捨てて立ち上がってキリストに従い、後に福音書を執筆する使徒マタイとなる。ユダヤにおいて、徴税人というのは罪人と同義であり、新約聖書では何度も否定的な意味で言及されている。

この絵では、暗い部屋に同時代の衣装をつけた男たちが座り、画面右から入ってきたキリストとペテロを見つめている。キリストがいなければ、場末の賭場か居酒屋を舞台にした大きな風俗画にしか見えない。

召された主人公のマタイはどこにいるのだろうか。キリストのよびかけに対して顔を上げ、自らを指差すような真ん中の髭の男がながらくマタイであると思われてきた。しかし、よく観察すると、この男は自分ではなく、隣にいる若者を指しているように見える（1 - 2）。その隣、画面左端でうつむく若者こそがマタイではないかという意見が一九八〇年代から出始め、主にドイツと英語圏で論争になった。

イタリアではいまだに真ん中の髭の男がマタイであるとする認識が一般的だが、私はあら

1-2　カラヴァッジョ《聖マタイの召命》部分

ゆる理由から考えて、左端のうつむく男こそがマタイであると考えている。その詳細は省くが、その身振りや姿勢から、髭の男は商人で、左手で税金を支払ったところであり、若者はそこから受け取った金を見つめる徴税人であると考えられるのだ。

　徴税人という罪人が、キリストによびかけられて突然回心するというこの主題においては、帽子を被《かぶ》った身なりのよい髭の男よりも、血走った目で金銭を凝視する若者が主人公であるほうがより劇的となる。実際に絵のある礼拝堂の入口に立ってこの絵を見上げると、左端の若者が非常に大きく見え、画面の主人公であることが納得できる。

カトリックとプロテスタントとの「自由意志論争」

この問題は、当時のカトリックとプロテスタントとの「自由意志論争」と無関係ではなかった。プロテスタントは、特定の決められた人のみが救われるという「予定説」を唱え、カトリックは、誰もがその意志と行動によって救われるという「自由意志」を重視した。そもそも、絵の設置されたサン・ルイージ・デイ・フランチェージ聖堂はローマのフランス人のための教会であり、作品の背景には、少し前にフランス王アンリ四世が新教徒からカトリックに回心したという事件があり、マタイはアンリ四世を示唆するという解釈もあった。

「召命」という単語は、イタリア語でヴォカツィオーネ、英語でコーリング、ドイツ語でベルーフというが、いずれも神による召命や呼びかけだけでなく、職業や仕事という意味をもつ。その背景には、人間の仕事とは、自分で選んで従事するのでなく、神から与えられた使命であるという考えがある。

マックス・ウェーバーの古典的名著『プロテスタンティズムの倫理と資本主義の精神』によれば、近代の資本主義の精神を生み出すことになるもっとも重要な概念は、この天職という考え方にあった。与えられた仕事にひたすら励むことは神の栄光を表すことであり、各自の職業こそが神の命じたものなのだ。

収税所に入ってきたキリストは、これから救う者を指さしている。そのとき、特定の人物を指さす髭の男は、「この男ですか？」と救われる者を指定し、限定しているようだが、左端の若者はそうではない。この若者は、今はうつむいて光を浴びていないが、キリストの声を聞いて立ち上がれば、光は彼の全身に当たり、救いの道へと導かれるであろう。登場人物の誰もが救われる可能性があるこちらのほうが、カトリック的であって当時のローマの教会によりふさわしいと考えられるのだ。

「私が来たのは、正しい人を招くためでなく、罪人を招くためである」（マタイ九：十三）と言うキリストは、キリストが入ってきたことにも気づかず、お金に夢中になっているこの若者を招いているのであり、やがて若者はお金を投げ打ってキリストとともに出て行くのだろう。

科学調査に基づく新解釈

こうしたマタイ問題は近年になって新たな局面を迎えた。二〇〇九年、この作品の科学調査が行われたところ、当初はキリストが単独であり、その姿が異なっていたことがわかった。キリストは今よりも決然と立ちはだかり、髭の男よりも左端の若者の方を指しているように見えるのだ（1-3）。それを、どういうわけかカラヴァッジョは、キリストが力なく腕を伸ばす現状のポーズに変更し、その手前に重なるように使徒のペテロを描き加えた。それによって、画家自身が、あえてマタイを特定することを避けたということさえ考えうるのである。

カラヴァッジョは、一見すると真ん中の髭の男がマタイだと思わせ、注意深く観察すればこの男の手の向きから隣の男を指しているとわかるように、二段階の観察を前提としたという可能性も唱えられた。こうして最近、複数の学者が、マタイは当初から曖昧であって、見る人に委ねられているという可能性を提唱し、私もそう考えるにいたった。

つまり、この絵を見る者は誰にでもマタイを認めてもよいのだ。しかも、そのマタイに自分を重ね合わせて、神の導きを受けているような気持ちになってもよいだろう。誰しもが、この絵のマタイのように、人生で召命を受け、天職を見つけるのではなかろうか。

一見、街の盛り場のような日常的な設定で普通の男が召されているこの絵は、現代の私たちをも覚醒させるような気分を喚起する、開かれた絵画であったといえよう。

このように、歴史上名高い作品でも、いろいろな見方があり、名画であればあるほど次々に新たな解釈が登場する。美術史学とは、文字資料や他の作品との関連によってそれを考える学問であり、文字を中心とする人文学の中でも、イメージや視覚資料を駆使する点でユニークであり、可能性と魅力が尽きないのだ。

1-3　カラヴァッジョ《聖マタイの召命》X写真部分

カラヴァッジョの習作

《悲嘆に暮れるマグダラのマリア》

カラヴァッジョは、西洋美術史上、最大の革新をもたらしたイタリア・バロック美術の巨匠である。イタリアではレオナルドやミケランジェロに並ぶ、あるいはそれ以上の巨匠と目され、その人気は年々高まり続けている。私は長くこの画家を研究して十冊ほどの本を出したが、近年の人気の急上昇には驚かされるばかりだ。

日本でのカラヴァッジョ展は、二〇〇一年、私がカタログを監修して東京と岡崎市で開催されたものが最初であり、次に二〇一六年に東京の国立西洋美術館で開催されており、二〇一九年に札幌で始まり、名古屋を経て大阪に巡回した展覧会があった。目玉作品はそれぞれの会場で異なり、東京では開催されないという珍しい巡回展であった。

この三回目の展覧会に関しては、三つの会場からそれぞれ講演会を依頼されて行っただけで、内容にもカタログにも関わらなかったが、残念ながらカラヴァッジョの真筆作品は少なく、以前の展覧会と比べて見劣りがするのは否めない。だが、ジェンティレスキやリベラなど、カラヴァッジョの影響を受けた画家たちの作品には見るべきものがあるため、それなりに意義深かった。

大阪展のみに出品された《悲嘆に暮れるマグダラのマリア》（1-4）という新出作品が注目された。ルーヴル美術館にあるカラヴァッジョの名作《聖母の死》（1-5）の手前で嘆いているマグダラのマリアだけを描いた異色の作品で、十五年前にイタリアの権威ある美術史

（上）1-4　カラヴァッジョ《悲嘆に暮れるマグダラのマリア》個人蔵
（下）1-5　カラヴァッジョ《聖母の死》1601-03年　パリ、ルーヴル美術館

雑誌『パラゴーネ』に発表されて研究者の間では知られていた。私は実物をはじめて見たが、筆遣いや色彩から真筆と判断してよいと思った。《聖母の死》の筆遣いに似ており、といって単なる模写のようにも見えない。だがカラヴァッジョが、このように自作の一部を独立させて別の絵にするという例は他にない。

ローマのトラステヴェレにあるサンタ・マリア・デラ・スカラ聖堂の祭壇画として描かれた大作《聖母の死》は、テヴェレ川に身投げした娼婦をモデルに描かれたと噂され、教会から受け取りを拒否されてしまった。聖母は死後、体ごと天に引き上げられた（被昇天）ため、死んだのではなく、眠っただけとされてきたが、そこでは、膨張した腹、裸足、乱れた髪など、聖母を実際の死体のように描いたためである。画面上部の大きな空間には、栄光の天を表す雲や天使などは見られず、重苦しい赤いカーテンが下がっており、死の厳粛さを感じさせる。

画面手前でうつむいて嘆くマグダラのマリアは、本来この主題には登場しないが、回心してキリストに付き従ったという女性の規範であったため、作品を注文した尼僧院に応じて描かれたと考えられる。

そのマグダラのマリアの部分図は、大作《聖母の死》のために、カラヴァッジョが描いた習作（ボッゼット）であった可能性が指摘されている。当時、大作を依頼された画家は注文者に事前に見本を見せる習慣があり、契約書にそれが義務付けられることもあったが、この作品はその貴重な例であるかもしれない。

また、この絵は大作の一部分にすぎないのではなく、独立した完成作にも見える。ルーヴル作品では聖母の死を嘆いていた聖女が、聖母の遺体と切り離されたことによって、自らの罪を悔い改めて泣く「マグダラのマリアの悔悛」という一般的な主題に転化していると見ることができるのだ。

ルネサンスのライバルたち

天才は天才との競合から生まれる

ルネサンスの四大巨匠、レオナルド・ダ・ヴィンチ、ミケランジェロ、ラファエロ、ティツィアーノは、ルネサンスにとどまらず、西洋美術史上最高の天才であり、彼らのいずれが欠けてもその後の西洋美術史はかなり異なったものになったであろう。みな十五世紀末から十六世紀前半という同じ時代にイタリアで活躍しており、レオナルド以外の三人は互いを意識して対抗心を抱き、影響を与えあっていた。

二〇一九年に邦訳の出たローナ・ゴッフェンの『ルネサンスのライヴァルたち』（塚本博・二階堂充訳、三元社）はアメリカにおけるルネサンス美術史研究の碩学が、ミケランジェロを中心に、彼らの複雑なライバル関係を、膨大な同時代資料と研究、そして作品分析によって解明しようとした労作である。舞台はルネサンス発祥の地フィレンツェ、次いで教皇が威光を放ったローマであり、文化の爛熟したヴェネツィアのティツィアーノもそこに加わる。美術家どうしだけでなく、彼らに作品を注文するパトロンどうし、美術家を論評する批評家や弟子どうしのライバル心も激しかった。優れた作品を入手することは君主の声望を高めたため、イタリア内外の君主が彼らの作品を得ようとしのぎを削ったのである。

ミケランジェロは世間から超然とし、弟子もとらずに独力で大作に挑んだ孤高の巨匠と思われているが、それは彼の擁護者や彼自身が宣伝したイメージにすぎなかった。実際の彼は自分が得たい仕事をライバルに奪われることを心配し、パトロンに陳情し、友人に愚痴をこぼす悩める芸術家であった。この本は、手紙や記録によって伝わる美術家やパトロンの肉声を駆使し、美術家をとりまく熾烈な競争の世界を鮮やかに浮かび上がらせる。

だが、ライバル対決が高揚するのはこうした人間関係よりも、あくまで作品どうしの関係であった。彼らが相手を出し抜くために、いかに異なる様式を用いるか、いかにわからぬように模倣するかという作品のドラマこそが美術史的に重要であった。ミケランジェロとレオナルドがフィレンツェ市庁舎の同じ広間で壁画を制作しようとしたこと、ミケランジェロとラファエロがヴァチカン宮殿の近接する部屋で同時に壁画を制作したことなど、史上名高い大規模な競作だけでなく、一見まったく競争とは関係のなさそうな作品や素描にも、ライバルへの反発や称賛の痕跡がある。

ヴェネツィアで画壇の頂点に立ち、神聖ローマ皇帝やローマ教皇にも寵愛されたティツィアーノは、早い時期からミケランジェロを意識し、その作品を研究していた。ティツィアーノの初期の作品、《嫉妬した男の奇蹟》（1-6）はあきらかにミケランジェロのシスティーナ礼拝堂天井画の《原罪》（1-7）のエヴァのポーズを借用している。

ミケランジェロはフェラーラでティツィアーノの官能的な神話画を目にしたが、このときフェラーラ公アルフォンソ・デステから神話画の注文を受け、《レダと白鳥》（1-8、42ページ）を描き、ティツィアーノへの対抗意識を示した。この絵の模写はミケランジェロの友人ヴァザーリによってヴェネツィアにもたらされた。

ローマに滞在していたティツィアーノのアトリエを訪れたミケランジェロは、評判となっていたティツィアーノの《ダナエ》（1-9、同）を見て、自分の《レダと白鳥》を基にしながら、さらに洗練させたことを察知し、同行したヴァザーリに、色彩はよいがデッサンが不十分だと批判をもらしたという。こうした逸話から、ミケランジェロやフィレンツェ派のデッサンと、ティツィアーノやヴェネツィア派の色彩という対立構図が広く喧伝されるようになったのである。

このように実力の伯仲する天才だけでなく、ローマでラファエロに対抗するためにミケラ

1-6　ティツィアーノ《嫉妬した男の奇蹟》部分　1511年　パドヴァ、スクオーラ・デル・サント

1-7　ミケランジェロ《原罪》部分　1509-11年頃　ヴァチカン、システィーナ礼拝堂

（上）1－8　ミケランジェロ《レダと白鳥》 1535-60年頃　ロンドン、ナショナル・ギャラリー
（下）1－9　ティツィアーノ《ダナエ》 1544-45年頃　ナポリ、カポディモンテ美術館

ンジェロに素描を提供してもらったセバスティアーノ・デル・ピオンボ、大胆な様式によってヴェネツィアの公式画家ティツィアーノの地位を脅かしたポルデノーネ、フィレンツェのダヴィデ像の対となる巨像の制作をミケランジェロから奪い取ったバッチョ・バンディネッリ、そしてこのバンディネッリを敵視して殺人まで企てたチェリーニら、天才の陰にうごめく小巨匠たちの暗躍も興味深い。

私はかつて、イヴ＝アラン・ボアの『マチスとピカソ』（日本経済新聞社）という本を翻訳したが、二十世紀美術最大の天才である二人も互いを強く意識して反発しあい、影響しあっていた。こうしたライバルのドラマはいつでも見られるだろう。本書の取り上げた盛期ルネサンスのイタリアだけでなく、十七世紀初頭のローマ、十九世紀から二十世紀初頭のパリ、二十世紀後半のニューヨーク、あるいは十八世紀後半の京都などは、こうしたライバル争いが沸騰することによって新たな美術が誕生し、美術の中心地になったのだ。

彼らは一方的に影響を受けたり、かたくなに反発したりするのではなく、ライバルから学ぶべきものを貪欲に吸収し、同時に自らの強みや個性を厳しく模索して斬新で力強い創造性を示した。まさに天才は天才との競合から生まれるのだ。

レオナルド・ダ・ヴィンチの評価

革新者に霊感を与える

二〇一九年はレオナルド・ダ・ヴィンチの没後五百年に当たり、世界各地で展覧会や関連イベントが開催され、書物の出版も相次いだ。二〇一七年、その貴重な真作《サルバトール・ムンディ》（1-10）が世に出て注目を集め、約五百八億円というオークション史上最高額で落札されたのも記憶に新しい。

しかし、レオナルドが万能の天才だともてはやされるようになったのは、その膨大な手稿が発見された十九世紀以降にすぎない。それまではイタリアの数多くの巨匠の一人にすぎず、長らく西洋美術の最高規範であったミケランジェロやラファエロの名声には遠く及ばなかった。

極端に遅筆で、現存する絵画作品は十数点しかなく、しかもその多くが未完成であったこと、ルネサンス美術の中心地フィレンツェやローマではほとんど活躍せず、文化後進国であったミラノで長く活動したことなどによる。

レオナルドは物事を深く考えすぎ、非常に飽きっぽい性格だった上に、手稿に示されているように興味の範囲があまりに広範だった。絵画や彫刻にとどまらず、人体解剖をし、自然や草花を観察し、天体や水の流れに注目し、兵器や要塞を研究し、自転車やヘリコプターに似たものを考案した。しかしそれらはすべて構想だけで頓挫し、その後の科学の進歩に貢献したり、実用可能になったりしたものはひとつもなかった。今でいう注意欠如多動症（ADHD）であったのだろう。

1‐10　レオナルド・ダ・ヴィンチ《サルバトール・ムンディ》1500年頃　個人蔵

レオナルドはフィレンツェの市庁舎の広間にミケランジェロと同時に壁画制作に着手して注目を集めたが、二人とも完成させることはなかった。しかし、彼がフィレンツェで公開した《聖アンナと聖母子》（1‐11、次ページ）の画稿は、ミケランジェロやラファエロの聖母子像に強い影響

1 - 11　レオナルド・ダ・ヴィンチ《聖アンナと聖母子》1498年頃　ロンドン、ナショナル・ギャラリー

を与え、また《モナリザ》はラファエロの肖像画の多くの原型となった。レオナルドは、作品数は少ないものの、際立った創造性によって他の巨匠たちに強い刺激を与えたのだ。

　マイクロソフト社の創業者ビル・ゲイツは、かつてレオナルドの手稿の一冊『レスター手稿』を約三十億円で購入した。森羅万象に向けられたレオナルドの視線や知性は、その希少な作品とともに神秘的に思われ、現代になってますます多くの芸術家や革新者に霊感を与えているようだ。

ルーベンスの大画面

日本で敬遠される理由

ルーベンスはバロックを代表する画家であり、西洋美術史最大の巨匠である。

生地デルフトでひっそりと生涯を送り、小さな作品をわずかしか残さずに没後まもなく忘れられた寡黙な画家フェルメールとは対照的に、ルーベンスはアントウェルペンに大工房を構えて大作を量産し、ヨーロッパ中を渡り歩いて各地の王侯貴族に歓迎され、同時代と後の美術に多大な影響を与えた雄弁な巨匠であった。

そのため欧米のほとんどの美術館にはルーベンスの作品があり、その量と大きさに圧倒される。「エルミタージュ美術館展」や「プラド美術館展」のような西洋美術の名品展にも、つねに顔を出している。

そのせいか、彼の作品はフェルメールのように尊重されず、不当に軽視されているように思われる。日本では、もっぱら『フランダースの犬』の主人公ネロ少年が憧れた画家というイメージで知られてきたが、この巨匠の作品世界が正しく理解されてきたとは言いがたい。

たしかに、工房から送り出された膨大なルーベンスの作品群には出来不出来があり、すべてがよいものとは限らない。しかし、初期の作品はいずれも生気にあふれ、後期の作品も彼が一人で手がけたものは、巨匠ならではの円熟味を見せている。

国立西洋美術館で二〇一八年に開催された展覧会は、ルーベンスが修業したイタリアとの関係に主眼を置き、イタリア時代の貴重な作品を多く集めており、また、ルーベンスが影響を受けたイタリアの巨匠や古代彫刻、影響を与えたイタリアの美術家の作品も展示していた。世界十ヵ国から借用したルーベンス作品はいずれも質が高く、近くでじっくり見るに値する。

初期の神話画《エリクトニオスを発見するケクロプスの娘たち》(1-12)は、ルーベンスの得意とした豊満な女性たちの繊細な肌の表現や華麗な色彩効果に目を奪われる。

教会の祭壇画として描かれた晩年の大作《聖アンデレの殉教》(1-13、50ページ)は、ルーベンスならではのドラマとダイナミズムに満ちており、晩年になってもルーベンスの創造力がいささかも衰えなかったことを示す。そして、神話画やヌードで知られるこの画家が、カトリック改革の時代のもっとも偉大な宗教画家でもあったことを改めて感じさせてくれる。

ルーベンス作品が日本で敬遠されてきたのは、こうした宗教性と壮大さのゆえであったろ

1－12　ルーベンス《エリクトニオスを発見するケクロプスの娘たち》1615-16年　ファドゥーツ・ウィーン、リヒテンシュタイン侯爵家コレクション

う。目を覆う圧倒的なスケールは、欧米の大美術館では映えるが、日本の狭い空間には合わない。そのため日本は、印象派やフェルメールのような小型の作品を好む傾向にある。そもそも日本は、中国絵画の古典となっている北宋の壮大な山水画を受容せず、それが部分的に切りとられて小型化した南宋の絵画ばかりを好み、室町時代以降の水墨画の模範としてきた。

大型の作品はなかなか日本に入ってこなかったという事情のほかに、小型のものを愛する日本人の美意識のゆえであるだろう。西洋美術においても、大画面を本領とするルーベンスの人気がふるわないのはそのせいであろう。

1 - 13　ルーベンス《聖アンデレの殉教》1638-39 年
マドリード、カルロス・デ・アンベレス財団

ベラスケスの肖像画

西洋絵画の頂点

スペイン十七世紀の画家ベラスケスは世界最高の画家であり、その代表作《ラス・メニーナス》（1-14、次ページ）は世界最高の名画である、と私はつねづね主張してきた。

ベラスケスは改宗ユダヤ人の子孫としてセビーリャに生まれ、風俗画から出発したが、そこでもすでに傑出した写実的な描写技法を示した。一六二〇年代にマドリードに出てフェリペ四世の宮廷画家になってからは、王族をはじめとする宮廷人の肖像画にその写実的な描写力を発揮したが、王宮にあるティツィアーノなどのイタリア絵画コレクションの研究とイタリア旅行、ルーベンスとの親交などを通じて、その様式を洗練させていき、流麗で自由闊達な筆触による名人芸的な冴えを示すにいたった。国王フェリペ四世に寵愛されたベラスケスは宮廷官吏としても順調に出世して王宮配室長に登りつめ、最後はついに貴族となった。その末裔は現在のスペイン国王につながっているという。

1 - 14　ベラスケス《ラス・メニーナス》1656年
マドリード、プラド美術館　写真提供／アフロ

彼の肖像画は国王や教皇から宮廷の道化師や矮人《わいじん》にいたるまで、いずれもモデルの人間性を見事にとらえている。大作《ラス・メニーナス》は、宮廷画家ベラスケスの人生と芸術を集大成したもので、王宮の一室を正確に記録した画面には、画家の自画像とモデルの王女マルガリータ、中央の鏡の中に国王夫妻を描きこみ、画家とモデル、現実と虚構などを巧みに交錯させている。闊達な筆触によって、空間の奥行きや光だけでなく、空気まで表すにいたったのである。それは徹底した現実の描写でありながら、現実を超えた魔術的なリアリズムといってもよい。

プラド美術館でこの絵の前に立つと、自分がこの宮廷に迷い込んだような不思議な気分にさせられ、絵画とは何か、絵を見るとはどのようなことかなどについて考えさせられる。画家ルカ・ジョルダーノがこの絵を「絵画の神学」と呼んだのはそのためである。二百年後にマネや印象派の画家たちがそこから多くを学んだのは当然であった。王宮内の一部屋を永遠化したこの名画は、ベラスケスの画業の集大成であるだけでなく、西洋絵画の頂点を示す。それは、絵画という芸術の究極の形であり、人類史上のひとつの奇跡といってよい。

画家としては異例の出世をとげた彼は、順風満帆な人生を送ったかのように見えるが、その芸術は革新に満ちていた。初期の驚嘆すべき写実的な風俗画から、生気あふれる宮廷人の肖像画、堂々たる歴史画の大作を経て、《ラス・メニーナス》にいたる歩みである。緻密な細部描写に始まり、印象派を先駆する自由闊達な筆触によってその芸術を深化させ、ついに光や空気の振動までも表すような神業に達したのだ。

それを可能にしたのは、師で義父のパチェーコの幅広い教養、王宮の豊富なヴェネツィア派のコレクションやルーベンスとの出会い、二度の長期イタリア遊学であり、すべては彼の不断の努力と研鑽の成果であった。

大作《皇太子バルタサール・カルロス騎馬像》（1-15）は、夭折した皇太子の五、六歳のときの肖像画。ブエン・レティーロ宮殿の「諸王国の間」で、国王夫妻の騎馬像にはさまれて扉口の上に飾られていたため、下から見上げるような視点でとらえられている。画面下部には、マドリード北部のグアダラマ山脈のみずみずしい風景が広がっている。

ベラスケスはこうした王侯貴族とともに、宮廷で彼らを楽しませた道化師や矮人の肖像も数多く描いた。《バリェーカスの少年》（1-16）は、皇太子の遊び相手であったフランシスコ・レスカーノという身体障害者の少年を描いたもの。王族の肖像と同様、すばやいタッチによって生き生きとした表情がとらえられ、風景と調和した堂々たる肖像画となっている。

ベラスケスはどのような人間も分け隔てせず、尊厳をもった一人の人格として描いた。彼の作品では、私たちと同じように生きている人間がたしかに息づいている。実際に絵に近づいたり離れたりして見れば、その確固たる存在感と、魔術的ともいってよい描写力に打たれるにちがいない。

1・15　ベラスケス《皇太子バルタサール・カルロス騎馬像》1635年頃　マドリード、プラド美術館

1・16　ベラスケス《バリェーカスの少年》1635・45年頃　マドリード、プラド美術館

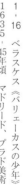

レンブラントは誰のものか

オランダのアイデンティティ

レンブラントは、西洋美術最大の巨匠の一人であるだけでなく、オランダという国のアイデンティティともいえる存在だ。近年この国では、すべての生徒に年に一度、アムステルダム国立美術館に行ってレンブラントの傑作を鑑賞させることが義務づけられるようになったという。

美術館の誇る最高傑作《夜警》（1-17）はオランダの国旗のような意味を持っており、各国の首脳がオランダを訪れると必ずこの絵の前に連れていかれ、オランダ首相と握手をする姿が世界中に報道される。オバマ元大統領もそうであった。そのため、この絵は反体制派の標的にもなり、暴徒にしばしば襲撃もされてきた。

《夜警》は十八世紀にアムステルダム市庁舎に移されたとき、その壁面に合わせて上部と両端を大きく切り取られた。最近、アムステルダム国立美術館はこの失われた部分を、十七世

1 - 17　レンブラント《夜警》1642年　アムステルダム国立美術館

1 - 18　復元された部分をつけた《夜警》

紀の縮小模写とレンブラントの原画をＡＩに読み取らせて復元した（1‐18、前ページ）。六十センチほど失われた左端の部分には新たに二人の男と一人の少年が出現し、全体の構図も、それまで画面中央にいた隊長と副隊長がやや右にずれて印象が少し変わったようだ。美術館では、数ヵ月間この復元部分を原画にくっつけて展示するという。なじみ深い名画でも、修復や復元によって印象が変わりうるという興味深い例である。

レンブラントの作品は世界中の美術館に収まっているが、個人に所蔵されているものも多い。それらがたまに市場に出ると、画商や美術館の争奪戦や真贋論争といった騒ぎが起こる。映画「レンブラントは誰の手に」（日本での公開は二〇二一年二月）は、こうした悲喜劇を淡々と描いたドキュメンタリー映画である。

フランスの財閥ロスチャイルド家が長く所有していた新婚夫婦の一対の肖像画（1‐19）が、約二百億円で売りに出された。レンブラントの中でも、対作品となった夫婦の全身肖像画はこれだけであり、隅々まで入念に描写された初期の傑作である。当然のように、アムステルダム国立美術館が購入しようとした。しかし、お膝元のルーヴル美術館も獲得に意欲を示し、フランス政府が介入して文化財の国外流出を禁じるとし、仏蘭両国の外交問題に発展しかかる。一点ずつ分け合って夫婦が引き離されることだけは避けなければならないと思わ

1‐19　レンブラント《マールテン・ソールマン》（左）、《オープイエ・コピット》（右）1634年

れた。二〇一五年、ようやくアムステルダム国立美術館とルーヴル美術館の共同購入という形に落ち着き、二点の肖像画は、パリとアムステルダムを行ったり来たりするという異例の事態となっている。映画ではその舞台裏をじっくり見せてくれた。

一方、スコットランドのバックルー公爵は、自宅にある先祖伝来のレンブラントの《読書する老女》（1‐20、次ページ）を家族の一員のように愛しており、手放す気などまったくない。

また、オランダで画商を営むヤン・シックスは、レンブラントのパトロンであった初代ヤン・シックスの末裔であり、一族はその肖像画をいまだに所有して誇りにしている。

映画では、このヤン・シックスが、レンブラント周辺の画家の作とされる肖像画を巨匠の真筆だと確信してオークションで競り落とし、探索する姿も追っているが、結論は曖昧になっている。真筆はそう簡単に世に出ないものだ。

名画は公共のものであり、人類の遺産として本来すべての人に鑑賞されるべきである。しかし、本当に価値のわかる個人に大事に所蔵され、愛されるほうが名画にとっては幸福ではないのか。そんなことも考えさせられた。

1-20 レンブラント《読書する老女》1655年 個人蔵

フランス・ハルスの集団肖像画

オランダで生まれた革新的手法

新学期になるとクラスで記念写真を撮るものである。職場でも年度初めや新年に集合写真を撮るところがある。こうした集合写真は、自分一人が写った写真とは別に、組織の一体感を確認させるとともに、貴重な思い出になるものだ。

古来、美術もこうした機能を果たしてきた。血縁者や組織の集団肖像画がそれである。これがひとつの芸術ジャンルとして確立し、先に見たレンブラントの《夜警》(1−17、57ページ)のように、高度な完成を見たのがオランダであった。新興国オランダでは、市民たちが様々な組織の集団肖像画を描かせ、自分たちの会館や本部に設置した。そこでは、一人の突出した人物を中心にするのではなく、あくまで平等に画面に配置され、制作費も割り勘(英語では割り勘することをゴー・ダッチ、つまりオランダ式でいくという)であるのが普通であった。

オランダのハーレムにあるフランス・ハルス美術館では、オランダの集団肖像画の発展過程を目の当たりにすることができる。集団肖像画の形式を完成させたのがフランス・ハルスである。彼は、それまで記念写真のように横並びであった集団肖像画に新たな生命を吹き込み、横並びの平板な構図を排して、動的で生命力あふれる風俗画の情景のように描いた。ハルスは、シント・ヨーリス市民隊やシント・アドリアーン市民隊といったハーレムの市民隊の幹部たちの集団肖像画を何度も描いたが、それらのほとんどは宴会の最中の楽しげな様子として活写されている。

それに対し、最晩年の《養老院の女性理事たち》（1-21）は、黒い衣装に身を包んだ五人の老女が静かにたたずみ、動きも喧騒もない。無表情に近い彼女らは、それぞれ豊かな手の表情を見せている。ひとつとして同じポーズはなく、彼女たちの人生経験や人格を表すように様々な手つきを示している。ハルス特有の荒っぽい闊達なタッチが縦横に走っているが、それは人物の生気や動きを示すのではなく、レンブラントの晩年の自画像のように深い精神性を感じさせている。

売れっ子肖像画家であったハルスはレンブラントと同じく晩年にやはり零落し、酒におぼれる日々であったという。そんな画家が養老院にいる老人やその理事たちにも共感を抱き、

1 - 21　フランス・ハルス《養老院の女性理事たち》1664年　ハーレム、フランス・ハルス美術館

こうした魂の肖像画を描き得たのだろう。ハルスはわずかな年金をもらって暮らしていたが、この絵の報酬によって久しぶりにまとまった金を手にした。

ハーレムにあるフランス・ハルス美術館では、ハルスのほとんどすべての集団肖像画を見ることができるが、華やかで陽気な初期と中期の集団肖像画を見た後で、地味で抑制された晩年のこうした肖像画を見ると、ハルスの到達した深い精神的な境地に打たれるのだ。

ラファエル前派

自然と文学を愛するイギリス芸術

二〇一九年、「ラファエル前派の軌跡展」が東京の三菱一号館美術館、久留米市美術館、大阪のあべのハルカス美術館に巡回した。イギリスではじめての国民的な美術運動であったラファエル前派の展覧会はしばしば開催され、日本でもすっかり有名になった。

イギリスは、地政学的に日本と比較しうる島国である。日本と同じように大陸との密接な関係によって文化を培ってきたが、日本とちがって長らく独自の美術を生み出すことはなく、つねに文化の周縁にとどまってきた。産業革命後は資本主義を発展させて国力を増大させ、政治経済的には世界の覇者になったにもかかわらず、美術においてはつねにライバル国フランスの後塵を拝していたのである。

そんな中で十九世紀初頭の風景画家ターナーとコンスタブルは、自然の崇高さや親密さを見事に表現し、ようやく他国に影響を与えうる美術を創造した。このターナーを熱烈に賛美したのが、評論家ジョン・ラスキンである。

今回の展覧会は、ラスキンに焦点を当てた切り口となっていた。ラスキンは、『近代画家論』に代表される美術批評と言動によって、ラファエル前派の精神的支柱となった。ラファエル前派の画家たちは、ラファエロを頂点とする古典の規範を重視するアカデミーの方針に反発し、それ以前の美術家の素朴で誠実な制作態度を目指して自然を観察し、同時代の風俗やイギリスの文学や伝説を題材とした。

ロセッティ、ミレイ、ハントといった中心的な画家たちの周辺に、その影響を受けた若い画家たちもいた。その一人アーサー・ヒューズはラファエル前派のメンバーではなかったが、ロセッティの友人で、優れた技術によって小粒だが忘れがたい名作を遺《のこ》した愛すべき画家。

今回の展覧会では、この画家の特質をよく示す作品が四点展示されていた。

《リュートのひび》（1－22、次ページ）は、テニスンの詩の一節に想を得て表現したもの。ひびの入ったリュートの響きが消えゆくのを女性がじっと聞いており、彼女の恋が終わりつつあることを示している。リュートの上に置かれたブルーベルの花やビロードの布地などが精妙に描写されており、詩句の内容を知らなくてもその抒情性が伝わってくる。

ロイヤルアカデミー展に出品され、作家ルイス・キャロルに称賛された《音楽会》（1－

(上) 1 - 22　アーサー・ヒューズ《リュートのひび》1861-62年　カーライル、タリー・ハウス美術館
(下) 1 - 23　アーサー・ヒューズ《音楽会》1861-64年
ポートサンライト、レディ・リーヴァー美術館

23）にも同じリュートが登場する。女性の奏でる音色に耳を傾ける男性と二人の子ども。彼らの衣装や背景の建築によって、舞台は中世であることが示される。

このように、ラファエル前派は、美術を文学や音楽と結びつけようとした。しかしそのために、美術の純粋な造形性を追求した印象派以降のモダニズムの観点からは、時代遅れの芸術とみなされるのも否定できない。ときに甘美にすぎるように見えるが、明るく華麗な色彩や緻密な自然描写は清新で魅力的である。まさに自然と文学を愛するイギリスらしい芸術であるといえよう。

ゴッホの自然賛美

真の傑作とは

フィンセント・ファン・ゴッホは、日本では数年に一度は展覧会が開かれてつねに大勢の観客を集める大人気の画家である。二〇二〇年に神戸で開催された展覧会は、彼のオランダ時代に焦点を当て、いわばゴッホがゴッホになる過程を紹介している。

二十七歳で画家になったゴッホは三十七歳で亡くなるまでのわずか十年間しか活動しなかった。三十二歳でパリに出るまでの前半生はオランダで制作したのだが、そのころは後のゴッホとは対照的に暗い色調による人物画が多かった。

十九世紀のオランダは十七世紀の黄金時代から遠く隔たり、政治的にも経済的にも不調であり、ヨーロッパの文化的辺境になっていた。しかし、十九世紀後半、オランダの大都市ハーグに集まった画家たちがフランスのバルビゾン派の影響を受け、身近な風景や風俗を生き生きとしたタッチで描くようになり、後にハーグ派とよばれるようになる。ゴッホは、彼ら

（右）1－24　ゴッホ《農婦の頭部》1885年　エディンバラ、スコットランド国立美術館
（左）1－25　ゴッホ《ジャガイモを食べる人々》1885年　アムステルダム、ファン・ゴッホ美術館

の様式を学び、似たような作品を描くことから出発した。

牧師の子として生まれ、自らも牧師を志したゴッホは、生涯にわたってキリスト教的な世界観を抱いていた。イスラエルスらハーグ派の画家だけでなく、オランダ最大の巨匠レンブラントの宗教性や内面性にもひかれ、もっぱら明暗の強い薄暗い画面を描く。

《農婦の頭部》（1－24）は、飾り気のない女性の内面的な美を大胆な筆触で探ったものだ。この農婦は初期の代表作《ジャガイモを食べる人々》（1－25）にも登場する。ゴッホにとって、土に生きるこうした名もなき庶民こそが描くべき対象であった。

しかし、パリに出て印象派の洗礼を受けると、色彩は一気に明るくなり、人物よりも自然や風景の美に熱中する。印象派の筆触分割とともに、異色の画家モンティセリから絵具の物質性を強調する厚塗りを学ぶ。南仏アルルでその芸術は成熟し、療養先のサン・レミで完成を迎えた。

サン・レミで描かれた《糸杉》(1-26)は、ゴッホ芸術の集大成といってよい。人の姿は見えず、雲のわき立つ青空には三日月が光る。ゴッホがアルルで発見したモチーフである糸杉は、天に向かって燃え立つようだ。この糸杉は自然の強固な生命力や神への熱烈なあこがれを表すようでもあり、太古のゲルマンの樹木信仰を想起させる。オランダで培った土臭さが昇華され、力強い自然賛歌となっているのだ。樹木の部分は近くで見るとレリーフのような厚塗りで、黒々と茂る葉が息づいている。実際に見ないと、絵の持つこうした立体的なマチエール(画肌)とそれが生み出す豊かな陰影はわからない。

この絵は二〇一一年に東京で開かれた「メトロポリタン美術館展」でも来日したが、名品が所せましと並ぶニューヨークの大美術館でも日本でも、いつ見てもその迫力と美に圧倒される。引き込まれる。真の傑作はみなそういうものだが、絵の前に立っていつまでも見ていたい名作である。

1 - 26　ゴッホ《糸杉》1889年　ニューヨーク、メトロポリタン美術館

第二章

美術鑑賞と美術館

墓場としてのミュージアム

ミュージアムとは「切花展示」

初めての土地を訪れたとき、博物館や美術館があれば必ず行くことにしている。そこに行けば、その地の文化や歴史についての概略を手早くつかむことができるからだ。しかも、ガイドブックのような表面的な情報にとどまらず、展示されたモノを通してもっと本質的な知識を与えられることもある。ミュージアムの真価は、情報よりも本物のモノに出会わせてくれることにある。ミュージアムとは、博物館であれ美術館であれ記念館であれ動物園であれ、モノを見せる装置である。情報を得るにしても、モノと対面することは、書物や映像から得られるのとはちがう臨場感とある種の緊張感を伴うものだ。

しかし、そういったモノも本来の力を奪われて、いわば無菌化されていることが多い。

モノは、当初それが置かれていた環境や文脈から切り離して移送され、ミュージアムに収蔵され展示されることによって、ミュージアム独自の文脈に組み込まれる。そして観客はその文脈に沿ってモノを見ることを強いられる。ミュージアムの文脈とは、その地域の歴史や美術史、民族誌や自然観といった、西洋の近代的な価値観に基づいた思想である。展示されたモノはこうした文脈の中で輝くこともあれば、本来もっていた豊かな意味を喪失して萎縮することもある。つまりミュージアムとは、野原で咲いている花を切り取ってきて枯れないように保存処置を施し、分類に従って展示するような施設にほかならない。近年注目を集める世界遺産のように、広大な地域全体をミュージアム化させて当初の場所でモノを見せる試みが増えてきているのは、そうした切花展示への反省からであろう。

私は仕事の都合上しばしばイタリアに行くが、いつも感じるのは、美術鑑賞の本拠地と思われているかの国ではミュージアムは意外に少ない、というかそれが重要ではないということである。ミュージアムに収められていない遺跡、建築、美術であふれており、それがこの国の文化的豊かさを証しているように思われる。ミュージアムを必要としないということは、モノが本来の環境で生きているということだ。「街自体が博物館」という惹句をよく聞くが、街が歴史的なモノや環境をよく保存しているということであり、同時に、街が時代に乗り遅れて現代的な活力を失っているということでもある。

宗教美術は本来の場所で輝きを放つ

モノが、保存や展示のために博物館・美術館に送られるのは仕方のない場合があるが、モノ本来の場所に残って見せてくれるほうが望ましい。たとえば宗教美術の場合、保存や防犯のために美術館に移され、収蔵・修復されて展示されることが多いが、本来の場所である寺社や教会で見るほうが生き生きと見える。美術館のほうが照明も明るく、きちんとしたキャプションもあって他の展示品との関係から美術史的な位置づけもよくわかる一方、教会の祭壇に飾られている絵は薄暗くてよく見えず、キャプションも説明もないが、その場合のほうが観者に雄弁に語りかけてくれるのはまちがいない。香がたちこめ、聖歌が流れ、老婦人が一身に祈る薄暗い宗教空間にあってこそ、それは生きるのである。

美術館に収蔵・展示された宗教美術は、祈りの対象という本来の文脈を剥奪されて美術史や文化史の体系に無理に組み込まれた一種の標本になってしまっているのだ。しかも、画家は通常、作品がどのような明るさで、どのくらいの高さに設置されるか、観者はどの地点からそれを見るのか、などについて考慮しながら制作するため、当初の空間にあるほうが美術館の明るい空間よりもよく見えるのが当然である。イタリアでも近年は、祈りの場である教会が美術鑑賞の重要なスポットであることを認識しはじめたのか、教会自体をミュージアムに再編成する傾向が進んでいる。多くがすでに教会の機能を果たさなくなった廃寺だが、入場料をとって拝観させるのだ。当初設置された環境の中で作品を見ることができるので、ミュージアムの中で見るよりはよいが、祈りの場という機能を喪失したため、香や聖歌や祈る人の姿などはなく、なにかが足りないように感じられる。ただ、開館時間もはっきりし、計画的に見学できるので、旅行者にとってはありがたい。

2-1　ナポリの教会案内板

ナポリはいくつもの教会が整備されてミュージアム化しており、道案内の看板までできた（2-1）。かつてのわかりにくさと観光客をはねつけるような無表情さを思い起こすと、隔世の感があった。ナポリのピオ・モンテ・デラ・ミゼリコルディア聖堂は、かつては教会でいつ行っても閉まっていたが、近年ミュージアムとして整備し、いつでもカラヴァッジョの傑作《慈悲の七つの行い》を見られるようになった（2-2、次ページ）。

2・2　カラヴァッジョ《慈悲の七つの行い》1607年　ナポリ、
ピオ・モンテ・デラ・ミゼリコルディア聖堂

当初の環境や文脈の中でとらえる重要性

保存上・防犯上の理由で本来の文脈に置いておくのが無理で、どうしてもミュージアムに移送する必要がある場合には、本来の場所にレプリカを置いておくというやり方もよいだろう。屋外の遺跡などで一般的に行われている手法だが、現在の技術によるレプリカは精巧なので指摘されなければわからないものもある。

マルタ島の世界遺産である巨石遺跡を巡ったとき、神殿の内部に豊穣の女神像（2-3）を見つけ、その力強いフォルムや生命力に打たれたことがあった。しかし、その後、首都ヴァレッタにあるマルタ国立考古学博物館を訪れると、同じ女神像がケースの中に展示してあり（2-4）、先ほど見たのがレプリカだったのに気づかされた。しかも遺跡の中にあ

（上）2-3　マルタ、タルシーン神殿の女神像
（下）2-4　ヴァレッタ、マルタ国立考古学博物館の女神像

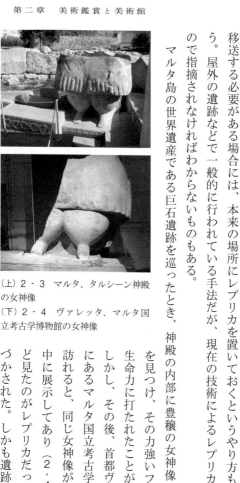

ったものはかなり復元したものであり、本物はもっと損傷が激しいものであることもわかった。しかし、裏切られたという気持ちはなく、たとえレプリカであっても、あの遺跡の中で、自然環境の中でその像を見ることができてよかったと思ったものである。大事なのは、ミュージアムの文脈だけでモノを見ないで、当初の環境の中でとらえることであろう。

もっとも、マルタの巨石神殿群は土中から掘り起こされた遺跡であり、現在はいずれも屋外ミュージアムとして入場料をとって見せるようになっている（2-5）。親切な解説パネルとともに出土品の多くが展示されている国立考古学博物館は、こうした遺跡を補完する資料庫にして情報センターにすぎない。大事なのは、モノを当初の環境や文脈の中でとらえることである。その中の彫像や祭壇のいくつかは複製に置き換えられているが、青い海を見下ろし、黄色いフェンネルの花が咲き乱れる自然とともに、当初の環境がそのまま保存されているのが貴重なのだ。

2-5　マルタ、イムナイドラ神殿

死者の声に耳を傾ける

　では、一般的な箱もののミュージアムは、保存・修復という守りの側面ばかりに徹して、大して意味のないものだろうか。ミュージアムは、本来の環境が失われてしまったモノや、出所不明のモノを収容する役割を担っている。故郷を喪失し、当初の意味を失ったモノはミュージアムの展示室にこそ安住の地を見出《みいだ》すのだ。

「博物館行き」という言葉は役に立たぬ骨董を指すのに用いるが、「博物館はモノの墓場である」という言い回しもよく聞く。ミュージアムにあるモノは死物であり、ミュージアムは墓場にほかならないが、それゆえに独特の雰囲気が生まれるのである。墓場でも霊廟でも、宗教施設特有の厳粛な空気と緊張感が漂っているが、よいミュージアムには必ずそれがある。墓地は死者と対話し瞑想する場であるが、ミュージアムも死んだモノを弔うことから、墓地としての空気が生じ、祀《まつ》られたモノがそこで永遠の命を得るといえないだろうか。そもそも芸術は死と結びついており、あらゆる芸術作品は死を扱ったものと見ることができる。

　また、芸術とは畢竟《ひっきょう》、宗教と等しいものであるため、博物館や美術館が墓場に類似するのは当然なのである。一八三〇年、ベルリンでシンケルがヨーロッパ最初の美術館のひとつアルテスムゼウムを建てたとき、内部をパンテオンを模した空間としたのは、それが美術作品の霊廟であるという認識からであった。

近年、各種イベントやミュージアムショップ、レストランなどによってミュージアムを開放して親しませようとする試みがさかんである。それは、ミュージアムを都市の文脈に適合させることであって、大都市にあるミュージアムはその方向で活動したらよいだろう。

しかし、あらゆるミュージアムがその方向を目指す必要はないと思う。デパートのように騒がしくなることがミュージアムの活性化につながると考えるのはまちがっている。そんなうわべの活性化よりも、死者の声に耳を傾けることができるよう、静謐な空間を作り出すほうが大事である。墓場にはそれにふさわしい澄み切った静穏な空気が要求される。モノの霊場としての荘厳な雰囲気、つまり宗教性にも似たものこそが、ミュージアムに永続的な生命を与えるのではなかろうか。

ミュージアムはもう終わったのではないか、という疑念をよく聞くが、ある種の廃墟が美しいように、終わったものだからこそ生きるといえよう。

世界遺産・マルタ島　至高のミュージアム

「聖ヨハネ騎士団」の島

私の職場の若い事務職員が結婚することになり、新婚旅行にマルタ島に行くと言う。地中海のイタリア半島の先に浮かぶマルタ島は淡路島の半分ほどの小さな島にすぎないが、世界遺産が三つもあり、カラヴァッジョの最高傑作もある。しかし彼はそのようなことをまったく知らず、単にきれいなリゾート地だから行ってみたいと言うので、拍子抜けしてしまった。たしかにこの島はヨーロッパ人の憧れる屈指のリゾート地であり、日本でも近年は人気が高まっているようだ。

私は学生時代からほぼ十年おきにこの島を訪れており、様々な思い出がある。最初に行ったときは情報もほとんどなく、飛行機も通っていなかったため、シチリア島から三日に一度しか出ないフェリーで渡るほかなかった。

太古の歴史を持ち、使徒パウロも訪れたこの島は、何よりも聖ヨハネ騎士団の島である。

2 - 6　ヴァレッタ外観

この騎士団はマルタ騎士団ともよばれたが、十二世紀にエルサレムで設立され、聖地への巡礼者を保護する病院活動を主としていた。次第に対イスラムの軍事活動に重点を置くようになり、エルサレム陥落後はキプロス島、ついでロードス島に拠点を移し、そこがオスマン帝国によって陥落すると、一五三〇年からマルタ島に移って来た。

以後、十八世紀末にナポレオンに島を追われるまで、イスラム勢力からの防波堤として、ヨーロッパ中から大きな名声と信望を集めていた。一五六五年にはトルコの大軍がマルタを包囲し、多くの犠牲者を出しながらも島を死守した。この「マルタ大包囲」によって聖ヨハネ騎士団の名声は一気に高まり、堅固な要塞都市ヴァレッタが新首都として整備され、騎士団長宮殿や大聖堂などが建設された。この都市も世界遺産になっている（2 - 6）。

一六〇七年、この騎士団に入団しようと、ローマで殺人を犯したお尋ね者の画家カラヴァッジョがやって来て畢生の大作《洗礼者ヨハネの斬首》（2-7、次ページ）を描く。洗礼者ヨハネは騎士団の守護聖人であり、彼がヘロデ王の命で斬首される光景である。牢の中庭のような薄暗い空間で、処刑人が倒れた聖人の上にかがみ込んで小刀を抜き、一太刀で切れなかった首を胴体から切り離そうとする。鉄格子の向こうにはこの惨劇を恐る恐る覗《のぞ》く二人の囚人がいる。このヨハネの死は、トルコ軍との戦闘で犠牲になった騎士を象徴していると私は考えている。

この作品の出来栄えは騎士団長を喜ばせ、画家に金の首飾りと二人の奴隷を与えたという。この絵を奉納することが入団金の代わりになったものと思われ、画家は念願の騎士になった。ヨハネの首から流れ出る血は、画家が作品に描きこんだ唯一のサインになっている。

しかしながら、得意の絶頂にあった画家は、いつものように自らその成功を台無しにしてしまう。わずか一ヵ月後のある晩、仲間の騎士とともに高位の騎士の家を襲撃し、重傷を負わせたのだ。すぐに逮捕されてサンタンジェロ要塞に投獄されるが、脱獄してシチリアに渡る。やがて、皮肉にもこの絵の前で、カラヴァッジョの騎士号剥奪と追放が決定したのだった。

この大作は今もヴァレッタの大聖堂にあり、制作された当時と同じ環境で見ることができ

2-7　カラヴァッジョ《洗礼者ヨハネの斬首》1608年　ヴァレッタ、サン・ジョヴァンニ大聖堂内オラトリオ

る。私が学生時代にマルタ島に行ったのはひとえにこの絵を見るためであり、数日間この傑作の前で一日中座り込んで眺めたものである。

この島には、人類最古といわれる巨石文明や地下神殿の跡もあり、いずれも世界遺産になっているが、いつごろ誰によって作られたかなどは不明である。

悠久の歴史を物語る遺跡と美術史上の最高傑作が本来の環境で見られるマルタは、島全体が天然にして至高のミュージアムといってよい。

パリで見比べる、バスキアとカラヴァッジョ

見る者を激しく揺さぶる二人の天才

二〇一八年の年末パリに行ってきた。近年開館して話題となっているルイ・ヴィトン財団美術館で開催している大規模なバスキア展を見るためであった。

ジャン＝ミシェル・バスキアは、一九八〇年代のニューヨークで活躍し、国際的な名声を得ながら麻薬の過剰摂取によりわずか二十七歳で没した画家。その生涯はすぐに映画化され、二〇一七年、サザビーズで日本の前澤友作社長がその作品を百二十三億円という高額で落札したことで話題となった。バスキアの七十年前に二十八歳で夭折したオーストリアの画家エゴン・シーレの展覧会も同じ会場で開催していた。

バスキアは、街のグラフィティ（落書き）から出発しただけあって、激しいタッチの絵や文字が混在し、殴り書きのような乱雑な作風だが、見事な色彩効果や多様なメッセージ性を備え、一筋縄ではいかない複雑な作品である（2-8、2-9）。ピカソに始まる二十世紀の

モダニズム美術の流れを踏まえているだけでなく、ジャズやヒップホップ、アフリカ民俗や人種問題など、黒人画家ならではの主題を濃厚にたたえている。そのため、没後ますます名声が上昇し、今や二十世紀美術の巨匠として確固たる地位を占めるにいたった。

今回の展覧会は世界中から集めた百二十点の大作群によって、バスキアの全貌をテーマごとに分類して展示しており、「黒いピカソ」とよばれるこの画家の力強い芸術世界を十分に堪能できた。

ピカソといえば、パリではオルセー美術館で「ピカソ　青とバラ色の時代」展、ポンピドーセンター国立近代美術館で「キュビスム展」がやっており、いずれも世界中から重要な作品を

（上）２‐８　バスキア展会場　パリ、ルイ・ヴィトン財団美術館
（下）２‐９　バスキア《グリロ》1984年　パリ、ルイ・ヴィトン財団

多数集めた大規模な展覧会であった。会場の前には長蛇の列ができており、みな寒空の下で文句も言わずに並んでいたのが印象的だった。

さらに、カラヴァッジョ展がジャックマール＝アンドレ美術館でやっていた。ほとんど宣伝していないにもかかわらず、日本にも来たことのない名作《リュート弾き》（2‐10）や《ホロフェルネスの首を斬るユディト》（2‐11）など、真筆十点を中心としたもので、小規模ながら、カラヴァッジョを専門とする私から見てもきわめて質の高い充実した展覧会であった。

バスキアとカラヴァッジョ。このときは思いがけず美術の都パリでこの二人を見比べる機会を得た。いずれも若くして名声を確立しながら、社会に反発するかのように破滅的な生活を送って夭折した無頼の画家である。時代も様式もまったくちがうが、いずれも同時代から周囲に多大な影響を与え、今なお見る者を激しく揺さぶる力をもっている。

（上）2‐10　カラヴァッジョ《リュート弾き》1596年頃　サンクトペテルブルク、エルミタージュ美術館
（下）2‐11　カラヴァッジョ《ホロフェルネスの首を斬るユディト》1599年頃　ローマ、バルベリーニ宮国立古代美術館

バスキア　知られざる日本との関係

絵画の根源的な力

二〇一九年秋、東京の森アーツセンターギャラリーで「バスキア展　メイド・イン・ジャパン」が開催された（2-12）。私は、本展を監修したバスキア研究の第一人者ディーター・ブッフハート氏から指名を受けて日本側監修を務めた。

前述のように、ジャン=ミシェル・バスキアは、一九八〇年代のニューヨークを駆け抜けるようにしてわずか二十七歳で没した黒人画家。その短い生涯のうちに素描も含めて約四千点もの作品を遺したが、その評価は近年急速に高まっている。

しかし、その作品の実物を見る機会は日本ではほとんどなかった。今回の展覧会の意義は何よりも、バスキアの作品を一堂に多く集め、まとめて見ることのできるはじめての機会であるという点である。バスキアの絵画は、その大きさと色彩の豊かさから、実物を見ないと力強さや魅力はわからない。

2 - 12　バスキア展会場　森アーツセンターギャラリー

　バスキアは、幼いころからニューヨークの大きな美術館に通い、過去の美術を貪欲に吸収したが、それが彼の見事な色彩や構図のセンスの源となっている。彼の作品に顕著に見られる荒々しいタッチ、画面の全体を覆うオールオーヴァー、大画面といった特質は、アメリカの戦後美術の大きな特質であった。また、画面に大々的に文字を導入したり、カンヴァスを手作りして民族芸術のように見せたりといった特徴も、二十世紀美術の成果を取り入れたものだ。

　彼は単に才能を奔放に発揮した天才であったのではなく、二十世紀のモダニズム美術を正しく継承し、発展させた画家であった。私は今回こうしたバスキアの特質に注目し、正統的な美術史の中にバスキアを位置づけようとし、そのことをカタログの論文に書いた。

2 - 13　バスキア《プラスティックのサックス》
1984年

　今回の展覧会の二つ目の意義は、バスキアと日本との関係を示したという点である。バスキアは一九八三年から三回も日本に来て、円の記号や平仮名など、日本に関係するモチーフを作品に取り入れた（2 - 13）。当時の日本は、バブルに向から好景気であったが、彼は活気にあふれた日本の社会や大衆文化から大きな刺激を受けたようだ。

　また日本では、早い時期から世田谷美術館、福岡市美術館、北九州市立美術館、高知県立美術館、大阪中之島美術館など多くの公立美術館にバスキアの作品が収蔵されていた。バスキアの作品は世界でもいまだ大半が個人蔵であるため、これは驚くべきことである。バスキ

2 - 14　バスキア《フーイー》1982年　高知県立美術館

アの作品が今日のように天文学的な価格に高騰する前に、賢明にも日本の公立美術館はバスキアの作品を収集し、知られざるバスキア大国になっていたのである。こうした日本の公共コレクションも、一堂に集められたことはなかった。

高知県立美術館の所蔵する《フーイー》（2 - 14）などは、監修者のブッフハート氏も初めて見て称賛していたが、自分で組み立てて桟を交差させたカンヴァスといい、大きなスケールといい、バスキアの特質がよく表れた代表作といってよい。

バスキアの作品はいずれも描く喜びにあふれており、絵画の根源的な力や豊かな可能性を感じさせずにはいない。作品の前に立てばそれが実感できるであろう。

ファン・エイク　北方ルネサンス最大の巨匠

フェルメールをはるかに超える

二〇二〇年三月、ベルギーのヘントで開催されていたヤン・ファン・エイク展に行ってきた。予約制の日時指定チケットであったが、新型コロナウイルス騒動が広がる直前で、私の行った翌週には展覧会は休止になってしまったので、危ないところであった。

ファン・エイクは北方ルネサンス最大の巨匠で、油彩技法を完成させ、西洋絵画史上もっとも優れた作品を生み出した天才である。生前から偉大な画家だとされ、その名声はイタリアにも響いていた。現存作品は約二十数点しかなく、どこの美術館でも彼の作品は非常に大切にされており、その重要性はフェルメールをはるかに超える。今回はそのうち半数にあたる十数点ほどが集められた画期的な展覧会であり、かなり前から大きな期待が寄せられていた。

展覧会はファン・エイクの最高傑作である《ヘントの祭壇画》（2-15）の修復が終わった

のを記念して開催されたもので、修復の過程であきらかになった技法などの科学的な調査結果を公開するものであった。ファン・エイクは油彩画の開拓者とされるが、三十種類以上の油を使い分けており、高度に熟達した技法を駆使していたこともあきらかになった。

《ヘントの祭壇画》はヤン・ファン・エイクの兄でやはり画家であったフーベルトが着手し、ヤンが完成させたことがわかっているが、フーベルト・ファン・エイクについては生涯も作品もほとんど不明である。十二枚のパネルで構成されており、盗難や略奪の過程で一枚は失われたが、今も奇跡的に当初の教会に所蔵されている北方ルネサンスの最高傑作である。

2 - 15　ファン・エイク《ヘントの祭壇画》(翼を畳んだ状態) 1430-32 年　ヘント、シント・バーフ大聖堂

展覧会場では通常はヘントのシント・バーフ大聖堂で見上げるこの大きな祭壇画のいくつかの部分が、間近で見られた。近くで見ると、鮮やかによみがえった色彩とともに、その完璧な表現や細部描写が手に取るようにわかる。会場のヘント美術館で展示されていない祭壇画の中央画面《神秘の仔羊》など他の部分は、従来どおりシント・バーフ大聖堂に飾られていたため、双方を訪れて両者をまったく異なる空間で鑑賞することができた。

この画家は写本装飾から出発したと思われているが、写本のうち唯一の真筆である貴重な『トリノ・ミラノ時祷書』を見ることもできた。また、アントウェルペンの《泉の聖母》(2-16)は、絵葉書ほどのサイズしかないが、これらの微細な世界は見れば見るほど引き込まれ、広大な宇宙を擁しているように思われる。東洋の書画を鑑賞するときに用いる単眼鏡が手放せなかったが、まさに眼福であった。

そして、これらの小さい画面も、《ヘントの祭壇画》の等身大の聖母や天使、寄進者の夫婦像も、まったく同じ質を持っていることに気づいた。私は、美術作品にとって大きさが大事だと主張してきたが、ファン・エイクの場合、作品の大きさは関係ないようである。小さな画面に凝縮してきらめく細部描写がこの画家の最大の強みにして魅力だと思っていたが、それが大画面に拡大しても間延びせずに変わらないということが驚きであった。それは、この画家の魔術的なまでに精確な写実描写のためであろう。

油彩画の創始者といえる存在でありながら、後の誰も真似できない究極の油彩技術を示しているのだ。絵画という芸術の無限の可能性と広大さに思いをはせることができた。美術館と聖堂と双方を同時期に訪れることで、画家の全体像だけでなく、その特質や機能もうかがい知ることができたのである。

2‐16　ファン・エイク《泉の聖母》1439年
アントウェルペン王立美術館

ロンドン、ナショナル・ギャラリー　世界一バランスのよい美術館

名品がそろう

二〇二〇年冬、大阪の国立国際美術館で「ロンドン・ナショナル・ギャラリー展」が開催された。この展覧会は同年三月に東京の国立西洋美術館で始まったが、すぐにコロナ禍によって休館となり、六月に再開したものであった。大阪展も当初の予定では七月からの予定であったが、ようやく開催されたのである。

ロンドンのナショナル・ギャラリー（国立絵画館）は、世界一バランスのよい美術館であるとされ、美術ファンにはもっとも人気のある美術館である。ルーヴル美術館をはじめ、ヨーロッパの大美術館のほとんどは王侯のコレクションを基にしているが、この美術館は、そうした大美術館ほど規模は大きくないが、複数のコレクターからの寄贈を基にし、歴代の館長の指導下、意図的に重要な作品を収集してきた。そのため、特定の地域や時代に偏ることなく、中世後期から近代までの主要な国の作品が見事にそろっている。量もちょうどよく、

2‐17　パオロ・ウッチェロ《聖ゲオルギウスと竜》1470年頃

疲れないため、私もいちばん好きな美術館のひとつである。

実際に訪れると、美術史の教科書に載っているような作品ばかりで驚く。それは、収蔵品が有名なものばかりであるというよりも、主要な美術史の概説書の多くがこの美術館の収蔵品に基づいて記述されてきたためである。

今回の出品作も名品ぞろいであった。さすがにファン・エイクの《アルノルフィーニ夫妻像》（3‐20、131ページ）のような超一級の名品は含まれないが、一級あるいは準一級の作品ばかりで壮観であった。会場に入ってすぐ、日本では滅多に見ることのできない初期ルネサンスの作品が目を引いた。

ウッチェロの《聖ゲオルギウスと竜》（2‐17）は、遠近法に心酔したというこのフィレンツェの画家の貴重な作品。彼の代表作《サン・ロマーノの戦い》三部作の一点もこの美術館が所蔵するが、いずれも遠近法を用いるには不向きな屋外の風景である。そのため、地面には不自然な四角形の草むらや岩の模様があり、それによって奥行きを表そうとしている。竜の翼にある円形の模様も、斜めから見た円を正確に描きたいために加えられたものであろう。

一方、クリヴェッリの《聖エミディウスを伴う受胎告知》（2-18）は、遠近法のためにしつらえられたような複雑な建築で覆われている。正確な一点透視法による空想的な空間のあちこちに、主題に関係のない人物や、原罪の象徴であるリンゴやキリストの復活の象徴である孔雀、富の象徴である絨毯などが描き込まれ、大画面の隅々まで見ていて飽きることがない。姦淫の罪で生地ヴェネツィアを追放されて各地を放浪したこの画家の会心の一作で、アスコリ・ピチェーノ市の公的な注文であったため、自らの持つ技量のすべてを注ぎ込んだのであろう。

いずれも、自然を再発見し、発見されたばかりの遠近法に熱中した初期ルネサンスらしい清新な作品である。まだしばらく欧米には行けそうもないが、その気分の一端を味わうことができた。

2 - 18　カルロ・クリヴェッリ《聖エミディウスを伴う受胎告知》1486 年

リヒテンシュタイン侯国のコレクション

洗練された宮廷文化

リヒテンシュタイン侯国。スイスとオーストリアの間に位置するこの小国を知る人は多くはないだろう。十年ほど前にこの国のコレクションの大規模な展覧会が東京で開かれ、その豊かな内容に驚くと同時に、貴族の名前を冠したこの国のことを認識した。二度目となる展覧会は、コロナ騒動の起こる以前、東京の Bunkamura ザ・ミュージアムを皮切りに、二〇二〇年から二一年にかけて日本の各地を巡回して、最後に大阪のあべのハルカス美術館に来たものである。

クラーナハの愛らしい宗教画の小品三点やヤン・ブリューゲルの風景画の小品のほか、有田やウィーンの陶磁器作品もあり、洗練された宮廷文化の繊細さや華やかさを堪能できる。昨今、予定されていた海外展の多くが中止や延期になる中で、地味だが貴重な機会であった。

二枚の聖ヨハネの絵

中でも目を引いたのは、十七世紀ボローニャ派の巨匠グイド・レーニ（2-19、次ページ）と、その影響を受けた重要な画家シモーネ・カンタリーニ（2-20、同）の描いた聖ヨハネの絵である。聖ヨハネといっても、前者は聖書のヨハネ伝を執筆した福音書記者ヨハネで、後者はキリストに洗礼を施した洗礼者ヨハネという別個の聖人だが、いずれも若い少年聖人を描いた横長の半身像となっている。

レーニの作品は、彼の晩年の様式の特徴である寒色を中心とした薄塗りの画面で、女性のような少年は目を伏せて聖書を読んでいる。カンタリーニの作品の聖人は、持物の十字架状の杖を持ち、子羊を指さしてやんちゃな少年のようにこちらを見る視線が印象的だ。身近にいた少年をモデルにしたのだろう。その写実性や明暗表現は、師のレーニよりも当時流行していたカラヴァッジョの様式に近い。

これらの絵は教会の祭壇画ではなく、個人が邸宅に飾るためのものであった。横長のフォーマットも、暖炉の上などに飾るのに適していた。とはいえ、磔刑《たっけい》像や聖母像とちがって、その前で祈るための祈念像ではない。ヨハネは、イタリアでジョヴァンニ、フランスでジャ

（上）2 - 19　グイド・レーニ《読書する福音書記者聖ヨハネ》1640 年頃
（下）2 - 20　シモーネ・カンタリーニ《洗礼者聖ヨハネ》17 世紀前半

ン、英語圏でジョン、スペインでファン、ドイツでヨハンやハンス、オランダでヤンといって、西洋でもっともポピュラーな名前である。名前の元となった聖人が守護聖人となるため、この名前を持つ者がこうした絵を注文することが多かったのである。

その際、髭の生えた老人の姿よりも少年像のほうが好ましかったのであろう。福音書記者ヨハネはキリストの弟子のうちでもっとも若い弟子として表現されるのが常であり、洗礼者ヨハネは幼児キリストの遊び相手として幼少時の姿が親しまれてきた。人々はこうした作品を、ありがたい聖人というより、生き生きとした少年の絵として飾って楽しんでいたのである。

小巨匠オットー・ネーベル

穏やかで温かみのある作品群

二〇一七年から一八年にかけて、オットー・ネーベルの日本初の大回顧展がBunkamuraザ・ミュージアムと京都文化博物館で開催された。日本はおろか、西洋でもようやく近年になって見直された画家である。

ベルリンに生まれたこの画家は、総合的なデザイン運動であったバウハウスに関わり、当初は建築に従事していた。やがて、シャガール、クレー、カンディンスキーらの影響を受け、具象と抽象を行き来する作品を制作する。

イタリアを旅行したとき、その陽光と色彩美に打たれ、各都市の景色の光や印象を色彩によって整理した「イタリアのカラーアトラス（色彩地図帳）」を制作。そのうちの一点《ナポリ》（2-21）では、地中海の青が大きな円となっており、明るい黄色やオレンジが並ぶ。古

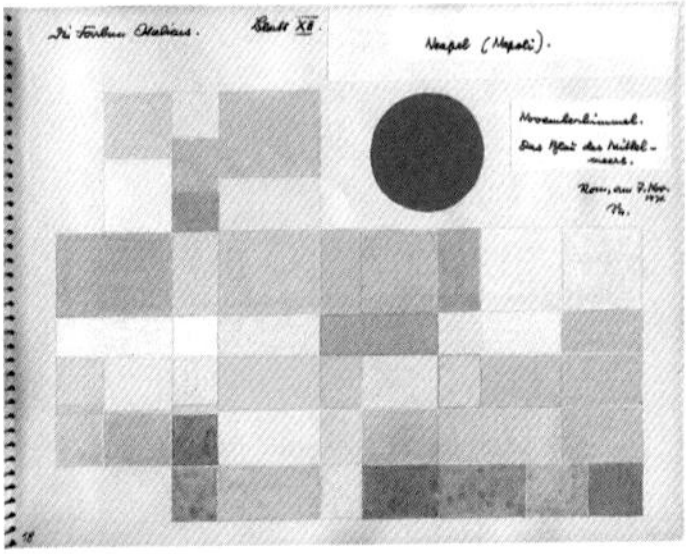

2-21　オットー・ネーベル《ナポリ》「イタリアのカラーアトラス」より　1931年　オットー・ネーベル財団

来、ドイツの芸術家の多くは、陽光あふれるイタリアに感銘を受け、とくに南イタリアのナポリに惹かれたが、この作品も、ドイツ的ともいうべき理知的なアプローチによって、その感動を表現したものだといえよう。

ナチス政権下、抽象美術が抑圧されるようになると、スイスのベルンに亡命。やがて同じくスイスに亡命してきたクレーと終生親交を結んだ。亡命経験を反映した《避難民》（2-22）は、キリスト教の「エジプト逃避」の図像を下敷きにしているが、クレーの影響による矢印も見え、悲惨さよりもユーモアが漂い、全体を覆う細かい点描によって装飾的な効果も見られる。

2-22　オットー・ネーベル《避難民》1935年　オットー・ネーベル財団

他にも、中近東のアラビア文字や古代ゲルマンのルーン文字、音楽用語や中国の易経に想を得た作品など、実に多彩な連作や技法を次々に試みたが、いずれも緻密に構成され、モザイクのような点描とともに一筆一筆丁寧に描かれている。

しかし、こうした作品は一見するとクレーやカンディンスキーにきわめて似ており、個性が見分けにくい。器用な前衛画家ではあっても突き抜けたところがない。つまり、そこそこの優等生だが天才ではないといった印象なのだ。多くの作品が残っているのに、今までほとんど知られていなかった理由もそのためではなかろうか。

彼は将来、自分の芸術が高く評価される日が来ることを信じ、自作に丁寧な説明を付したカタログも作っている。その作風とともに、非常に緻密で几帳面な性格であったことがわかる。だが、几帳面であるがゆえに造形を理屈でとらえすぎ、奔放な創造力や天分を感じさせることなく、小さくまとまってしまっているように見える。美術史に数多く存在する、巨匠の陰に多く潜んでいる典型的な小巨匠（プチメートル）の一人である。今後、評価が急上昇することはあまり考えられないだろう。しかし、その作品はいずれも穏やかで温かみがあり、今回知られたことで、ファンが増えるかもしれない。

第三章

描かれたモチーフ

酒と美術

深い関係

酒と美術とは深い関係にある。古来、酒は世界中で様々な儀式や宗教儀礼に用いられてきた。感覚を麻痺させる酒は、日常と非日常、人間と神とを媒介する手段であった。また、酒のもたらす酩酊状態は、往々にして人間の通常とは別の側面を表出させるため、文学や美術の主題になってきた。また東洋では、美術家が酒を創作意欲の契機とすることが多く、酔いの中で制作して称賛される者もあった。

私はかつて『食べる西洋美術史』（光文社新書）において、西洋美術と食事との密接な関係を論じたことがあったが、酒と美術との関係について、酔態と酔作という観点から考えてみよう。

描かれた酔態

西洋では

西洋では酒神バッカス（ディオニソス）は、異教の神でもっとも人気のある神で、古代以来多く表現されてきた。インドに遠征したといわれ、東洋との結びつきもある。葡萄を手にして微笑《ほほえ》む青年として表現されたミケランジェロの彫像以来、若者の姿で表されることが多くなった。ただしバッカス自身は酒を飲ませる側で、自ら酔う姿を見せることはない。

3‐1　カラヴァッジョ《バッカス》1598年頃　フィレンツェ、ウフィツィ美術館

バッカス自身が酔っているように見えるのはカラヴァッジョの《バッカス》（3‐1）である。ふくよかな肉付きをしたやや東洋風の容貌のバッカスが上気した顔でグラスのワインをこちらに差し出す。寝台に横たわって右手で帯をほどこうとしており、酒と肉体の逸楽に観者を誘っている。

3－2　ベラスケス《バッカスの勝利（ロス・ボラーチョス）》1628年頃　マドリード、プラド美術館

ベラスケスの《バッカスの勝利》（3－2）は、「酔っ払いたち（ロス・ボラーチョス）」と呼ばれてきたように、若者バッカスを取り巻く男たちが酔態を示している。粗野な男たちは酔眼をしてろれつが回らないようである。ベラスケス特有の鋭い観察眼が、今でもどこにでもいそうな酔っ払いの生態を見事にとらえている。

酔態は、平時とのギャップがある方が目を引き、立派な人間の酔態が好まれた。英雄ヘラクレスが酔って朦朧とするさまはしばしば描かれ、ルーベンスの作品は、サテュロスの男女に肩を支えられながらふらつく巨漢のヘラクレスを描いている（3－3）。ルーベンスはバッカスの従者であるシレノスの同じような姿も描いており、こうした作品が人気を博したことがわかる。シレノスはバッカスよりも年長の中年の太った姿で、古代からバッカスの行列のときにたびたび担がれて表現され、酔った姿が一般的であった。

十七世紀以降さかんになる風俗画では、庶民や農民が飲んで騒ぐ様子がよく表現された。ブリューゲルの農民の絵を始祖とし、フランドルのアドリアーン・ブラウエルやオランダのヤン・ステーンらは好んで宴会の情景を描き、そこには社会風刺とユーモアが見られる。ヤーコプ・ヨルダーンスの《豆の王の祝宴》（3・4）は人気を博したのか、七点の作品が残っている。これは一月の東方三博士の到来を祝う宴会で、切り分けられたケーキに豆が入っていた者が一座の王になり、掛け声とともに夜通し乾杯を繰り返すというもの。酒が入って宴

（上）3・3　ルーベンス《酔ったヘラクレス》1611年頃　ドレスデン美術館
（下）3・4　ヨルダーンス《豆の王の祝宴》1640年頃　アントウェルペン王立美術館

が大いに盛り上がっている様子が活写されているが、画面左には嘔吐する男も見える。

こうした絵を享受するのは王侯貴族や富裕な市民などであったが、彼らは酔った庶民の愚かさやだらしなさを嘲笑し、あるいは楽しんだのである。

西洋美術の主流をなすキリスト教美術では、酒といえばキリストの血であるワインであり、ワインや血や葡萄は神聖なモチーフとして繰り返し表現されてきた。しかし、酒に酔うことは堕落に結びついており、聖書にはそのような逸話がいくつも登場する。「ノアの泥酔」（3‐5）でノアは嘲笑した息子ハムを呪う、「ロトとその娘たち」でロトは娘たちと近親相姦する、「ユディトとホロフェルネス」でホロフェルネスはユディトに首をはねられる、「放蕩息子」は財産を蕩尽する、といったように酒に酔った者は悲惨な運命をたどることとなる。これらの例からは、酔って我を忘れることへの危険性と教訓が感じられよう。

3‐5　ミケランジェロ《ノアの泥酔》1509年頃　ヴァチカン、システィーナ礼拝堂

3 - 6　曽我蕭白《酔李白図屏風》部分　18世紀　ボストン美術館

東洋では

東洋ではどうであろうか。「酔李白」という画題があり、唐の詩人李白が従者に支えられながら歩く姿がよく描かれた（3 - 6）。「李白一斗詩百篇」、つまり酒を一斗（約六リットル）飲む間に詩を百篇も作ったと杜甫の「飲中八仙歌」に歌われ、「酒仙」とも称された。西洋でヘラクレスやシレノスの演じていた酔態の役を東洋では李白が担っており、酒豪の天才の代名詞となったのである。李白は酔態をさらしても、それによって才能が発揮されて詩を生み出したとして、決して嘲笑の対象になっていない。

日本では、風俗画に酔っ払いがしばし

（上）3-7　《絵師草紙》部分　14世紀　宮内庁三の丸尚蔵館
（下）3-8　伝狩野元信《酒飯論絵巻》部分　16世紀　文化庁

ば表現された。鎌倉時代の《絵師草紙》（3-7）では、領地が与えられると知って喜び、酔って踊る貧乏絵師が描かれている。それは後に失望に終わるのだが、本人も周囲の人物たちも笑顔にあふれ、温かい雰囲気に満ちている。

　また、《酒飯論絵巻》（3-8）というユニークな作品がある。十六世紀に狩野元信によって制作され、以後江戸期にも繰り返し模写されて多くの異本が残っている。酒と飯のどちらが優れているか、あるいはどちらもほどほどがよいのかという不毛な議論を描いたもので、酒、飯、双方の情景に分けて描かれ、楽しそうに飲食する情景や調理する場面が生き生きと描かれている。日本美術史上、飲食の情景を取り上げたほとんど唯一といってよい貴重な作品であり、近年注目を集めて展覧会が開かれ、研究も進んでいる。このうち、酒上位論者の箇所には、飲みすぎて庭先で嘔吐し、肩を預けて連れ帰られる男が描かれる。神でも英雄でもない、架空の武士を主人公としており、風俗画に近いものだが、酔態を客観的かつユーモラスにとらえている点で注目される。

酒の魅力は、日常から離れて別の人格を現出させることにある。そのため、傍《はた》から見ると人間の愚かさやおかしさが感じられ、風俗画の格好の主題となったのである。

酔作の効果

李白のような天才が酒に酔って詩作したということが称《たた》えられるのは、きわめて東洋的である。東洋には、天才が酒の力によってその才能を発揮する例がいくつもあるが、西洋ではそのような伝承や逸話は聞かない。芥川龍之介は、『文芸的な、余りに文芸的な』で次のように書いている。

エドガア・ポオは酒飲みだった為に（或は酒飲みだったかどうかと云う為に）永年死後の名声を落していた。「李白一斗詩百篇」を誇る日本ではこう云うことは可笑しいと云う外はない。

ポーはアルコール依存で命を縮めたが、それは決して褒められたものではなく、自堕落さを意味するだけであった。日本は酔っ払いに寛容だという。あるいは、酒の席の無礼講ということもいわれる。西洋では、酒を飲んで理性を失うことは非難されるべきことであり、酔態は失笑や侮蔑の対象にはなっても、酒によって才能を発揮する天才の話というものはありえないのだ。ポーを評価したボードレールも酒を愛してしばしば詩に歌っているが、彼は李白のように酒に酔って創作したと称えられることはない。

現代では堕落を象徴する手段は酒に代わってドラッグになったが、西洋では酒は天才の創作意欲につながるというよりは、ポーのように破滅をもたらすものと思われている。二十世紀初頭のエコール・ド・パリの画家モディリアーニはつねに酒に酔っており、破滅的な生活の中で死んだ。戦後アメリカ美術を代表する抽象表現主義の祖ジャクソン・ポロックはアルコール依存の挙句、最後は泥酔して自動車事故で死んでいる。しかし彼らの作品が酒の力によって生まれたと考える者はいないし、それを称賛する言説もないだろう。

一方、東洋では酒は天才の創作を助けると思われた。古今東西の芸術家伝説を集めて『芸術家伝説』（邦訳ぺりかん社）を著した美術史家オットー・クルツとエルンスト・クリス、そしてそれを翻訳解題した大西廣氏によれば、中国では制作時に酒を必要とする画家たちのことが数多く画史画伝に伝えられている。唐代の人物画の巨匠、呉道元はいつもしたたかに酔ってからでなければ制作を始めなかった。同じく唐の郭昇は、絵に取り掛かる前に床に絵絹を広げておき、楽師たちに音楽を演奏させ、自分は酔いしれるまで酒を飲んでから制作したという。また、唐で「溌墨」という技法を創始した王墨は、酒に酔い、手や髪に墨をつけて描くという一種のパフォーマンス的な制作をしたと伝えられる。

五代から北宋にかけて活躍して華北系山水画の祖となった李成も大量の酒を飲まないと筆を執らなかったという。もっとも李成の代表作《喬松平遠図》（3-9、次ページ）などは、緻密な筆遣いによって入念に描き込まれた大画面で、とても酔って描いたとは思われない。北宋の画僧、擇仁はつねに飲みながら制作していたが、酒亭の壁が新しく塗ったばかりなのを見て、ありあわせの布と墨で描き散らしたところ、見事な枯木が表れたという。わが国の画聖、雪舟も、制作するときはいつもまず酒を飲んだと『本朝画史』に伝えられている。雪

3 - 9　李成《喬松平遠図》10世紀　三重、澄懐堂美術館

舟の作品でも、前述の溌墨を意識した《破墨山水図》は弟子に授与したことが賛からわかるが、酔って一気に描いたとしても不自然ではないと思われる。

このように、中国でも日本でも、酒の酔いに乗って制作するという画家がひとつの定型のように多く伝えられている。それは酒が理性的な構想や人智を超えた霊感をもたらし、天才はそれに身をまかせるという天才信仰を補強するものであった。

酒は文人画家にとっても重要であった。世間から隔絶し、人里離れた山林の孤独の中で詩書画を楽しむ文人は東洋では長らく理想とされたが、江戸期の文人画家・浦上玉堂はこれを実行した。五十歳のときに突然脱藩し、二人の息子を連れ、七弦琴を抱いて諸国を放浪し、多くの文人と交わりながら琴と詩書画の世界に生きた。大阪で玉堂と一ヵ月ほど同居した田《た》能村竹田《のむらちくでん》は、玉堂はつねに酒を飲んで描いたことを記している。少し飲んで描き、酔いが覚めるとまた飲んでは描き足すという作画であったらしい。

玉堂の最高傑作、国宝《東雲《とううん》篩《し》雪《せつ》図《ず》》（3‐10）では、画面上部の左に隷書で「東雲篩雪」という画題とともに、「玉堂琴士酔作」という落款がある。「酔作」とあっても、酔いにまかせて一気呵成に描いたものではなく、薄い墨を丹念に重ねて雪山の量塊や細い木々、夜空や雲を繊細に表現している。酒を飲んで会津の厳しい雪山を思い出して描き、覚めるとまた飲

3‐10　浦上玉堂《東雲篩雪図》19世紀初頭
鎌倉、川端康成記念会

んでは描き足していったと思われる。玉堂にとっての酒は、山水に遊ぶ境地をもたらして制作意欲を刺激するものであったのだろう。あえて画中に「酔作」と記したことは、それほど真面目に描いたわけではないといった謙遜や韜晦《とうかい》の一種ととることができ、実際は時間をかけて入念かつ真剣に描いたにちがいない。

以上、酒による酔態が神話画や風俗画のテーマになり、幾多の名作となったことを見てきた。西洋では酔態にユーモアを見ることはあっても批判的なものが多かったが、東洋では好意的であり、また天才と酒が結びつき、酒による酩酊状態が天才を刺激するという伝説が見られた。こうした視点は、日本における酔っ払いや酒の席での寛容さにも表れているようだ。

かく言う私も、酒の勢いにまかせて本稿を一気に書いてみたが、結果は読者の判断に委ねるとしよう。

美術と犬

「忠実な友」はどう描かれてきたか

犬はもっとも古い家畜で、馬とともに人間のもっとも忠実な友である。狩猟や牧畜に欠かせない存在で番犬としても有用であり、さらに食料にもなった。人間と近いだけあって、古今東西の美術にしばしば登場している。

しかし、犬のみを表現する作例は東洋では龍虎や花鳥に比べて少ない。日本の神社の狛犬《こまいぬ》は、古代インドの守護獣が東に伝播《でんぱ》して小型化したものとされており、厳密には犬ではない。

西洋では、古くは、ポンペイの「悲劇詩人の家」にある「犬に注意」と書かれたモザイクが有名だが、犬だけを表現したものはそれほど多くない。馬の画家として有名な十八世紀イギリスのジョージ・スタッブスは、飼い主から犬の肖像画を依頼されてしばしば描いた（3-11、次ページ）。十九世紀イギリスの画家エドウィン・ランドシーアも動物画の名手であり、やはり飼い主の依頼で犬を描いた。《威厳と無礼》（3-12、同）は、飼い主の依頼でブラッドハウンドとウエスト・ハイランド・ホワイトテリアを描いたもの。落ち着いたブラッドハウンドといたずらっ子のようなウエスト・ハイランド・ホワイトテリアの性格の違いを表し、それをタイトルにしている。この画家はしばしば犬を擬人化して表現した。

日本では、高山寺に伝わり、明恵《みようえ》上人が愛玩していたという伝湛慶《たんけい》の《子犬》（3 - 13）がすぐに思い浮かぶ。子犬といえば、円山応挙の描いたかわいらしい子犬は、長沢芦雪《ろせつ》をはじめとする円山派に継承され、竹内栖鳳《せいほう》にいたっている。

須田国太郎の代表作《犬》（3 - 14）は、京都市動物園で写生したという漆黒のシベリア犬

（上）3 - 11　ジョージ・スタッブス《チャールズ王のスパニエル犬》1776年　個人蔵
（下）3 - 12　エドウィン・ランドシーア《威厳と無礼》1839年　ロンドン、テート・ブリテン

と、京都の西大谷から南を望んだ民家の景色を組み合わせたもの。日本的な風景のうちに遠近と白黒の対比を追求したこの画家の特質をよく表している。

「忠節」から「侮蔑」まで

西洋では、犬は主人を裏切らないことから「忠節」の象徴とされてきた。前述のランドシーアはまた、主人を失った犬がその棺《ひつぎ》にすがりつく《老牧者の喪主》（3-15、次ページ）という絵を描き、ラスキンに称賛されている。

　日本でも、主人が亡くなってもその忠誠心が消えないという性格は、渋谷駅前に立つ忠犬ハチ公によって知れわたっている。秋田犬のハチは飼い主の死後も毎日、渋谷駅前で主人の帰りを待っており、そ

（右）3-13　伝湛慶《子犬》13世紀　京都、高山寺
（左）3-14　須田国太郎《犬》1950年　東京国立近代美術館

の姿は一九三四年の渋谷駅前に設置された安藤照による銅像によって記録された。現在の像は二代目であり、安藤照《てる》の息子安藤士《たけし》によって一九四八年に制作されたもの。初代のハチ公を制作した安藤照は故郷の鹿児島に軍服姿の西郷隆盛の巨像を作ったことで知られ、その近くの鹿児島市立美術館では安藤士によるハチ公像（3‐16）を見ることができる。この像は犬のみを表現したもっとも有名な作例といってよいが、主人と忠犬との愛情と別離の物語を含んでいるがゆえに愛されたのである。

3‐15　ランドシーア《老牧者の喪主》
1837年　ロンドン、ヴィクトリア・アンド・アルバート美術館

3‐16　安藤士《忠犬ハチ公》
1948年　鹿児島市立美術館

二〇一二年、飼い主の上野英三郎博士の故郷、三重県津市の近鉄久居駅の前に、また二〇一五年、博士の職場であった東京大学農学部のキャンパスに、博士とハチの群像があいついで設置された。ハチ単独よりも、その飼い主を同時に表現するほうがハチ公物語をわかりやすく伝えるのはたしかだが、東大にある像はわざとらしさが目について評価できるものではない。

犬を連れた人物像でもっとも有名なのは、上野公園にある西郷隆盛像（3 - 17）であろう。東京美術学校に制作が依頼され、高村光雲が同僚や弟子たちと作り、一八九八年に設置されたものだが、西郷が兎狩りに連れていた愛犬ツンは後藤貞行の制作による。後藤は馬の彫刻を得意とし、それ以前に皇居に設置された光雲の楠木正成像の馬も制作していた。体が小さく西郷像と不均衡に見えることから、後藤はツンの体を実際より大きくしたという。この犬の単独の像は一九九〇年に故郷である鹿児島東郷町の藤川天神に、中村晋也作の

3 - 17　高村光雲《西郷隆盛像》
1898 年　東京、上野公園

3‐18　中村晋也《西郷どんのツン》1990年　鹿児島、藤川天神

《西郷どんのツン》（3‐18）として設置された。ハチ公像とは逆の現象で、主人とともにいる像がまず有名になり、かなり後で単独像が建てられたわけである。

ピエロ・デラ・フランチェスカは、リミニの僭主シジスモンド・マラテスタが守護聖人に跪拝する画面の右端に、端然と坐る二匹の犬を描き込んだ（3‐19）。白黒の犬は左右対称に配され、数学者でもあったこの画家特有の秩序と厳粛さを画面にもたらしている。

犬がモチーフとして女性の傍らに描かれると、その女性の夫への貞節という美徳を表した。有名なヤン・ファン・エイクの《アルノルフィーニ夫妻像》（3‐20）には夫婦の間に犬がいるが、これは妻の夫への忠節心を表している。貞節を象徴する犬は夫婦の肖像画に一般的なモチーフとして定着した。男女の間に犬がいるか、あるいは女性が犬を抱いていれば、それは兄弟や親子ではなく、夫婦を示すと考えてよい。

肖像画の注文主が自分や子どもを愛犬とともに描いてもらうことも多く、ティツィアーノやレノルズによる犬を抱く少女の像が有名だ。ホガースやクールベのように、画家が愛犬とともにいる自らの姿を描いた自画像もある。

　犬はまた狩猟に欠かせない動物であり、狩猟の女神ディアナの持物でもあった。かつての狩猟は獲物を矢や銃で仕留めるのではなく、矢や銃で撃たれた獲物を猟犬が嚙み殺すものであった。十五世紀の《ベリー公のいとも豪華なる時祷書》の「十二月」（3‐21、次ページ）では、右端の男が角笛で殺すことを命じ、犬が一斉に猪《いのしし》に襲い掛かっている。この絵は、

（上）3‐19　ピエロ・デラ・フランチェスカ《シジスモンド・マラテスタと聖シジスモンド》1451年　リミニ、テンピオ・マラテスティアーノ
（下）3‐20　ファン・エイク《アルノルフィーニ夫妻像》1434年　ロンドン、ナショナル・ギャラリー

（右）3 - 21 《ベリー公のいとも豪華なる時祷書　12月》15世紀　シャンティイ、コンデ美術館
（下）3 - 22　ビラビセンシオ《犬に襲われる少年》1680年頃　ブタペスト国立美術館

イタリアのジョヴァンニーノ・デ・グラッシの素描を基にしていることがわかっているが、当時の狩猟の様子を克明に伝えている。

狩猟は生存のための営為であったが、戦争の鍛錬にもなるとされたため、封建社会以降は王侯貴族にとって必須のたしなみとなった。そのためティツィアーノやベラスケスの例をはじめ、王侯貴族の肖像画に猟犬を描き込むことも多い。

もっとも、忠実であるがゆえに主人を疑うことを知らない犬は、「権力の犬」のように揶揄的に用いられることもあり、「犬畜生」として侮蔑の対象にもなった。犬は人間を襲うこともありうる。ムリーリョの弟子であったスペインの画家ペドロ・ヌーニェス・デ・ビラビセンシオの《犬に襲われる少年》（3-22）はそんな情景である。二匹の犬に襲われた少年は転倒して籠《かご》のリンゴを散乱させてしまっている。この犬は果樹園の番犬で、リンゴを盗んだ少年を襲ったのかもしれないが、絵だけからは不明である。

貪欲の象徴

犬に、人間の友としてのよい意味だけでなく、否定的な意味をも付与されたのは洋の東西を問わない。西洋でも犬は貞節だけでなく、がつがつと餌をあさる姿から、「貪欲」の象徴でもあった。ヒエロニムス・ボスの《七つの大罪》（3-23、次ページ）では、「嫉妬」の場面で二匹の犬が骨をねらっている。

日本の絵巻などでは、犬は残飯や死体をあさるおぞましい動物として描かれた。中世にたびたび描かれた九相図では腐乱した死体に犬が群がっている（3-24、同）。《餓鬼草紙》でも、墓場で棺に入った死体に犬がたかっており、《一遍聖絵》にも野垂れ死ぬ貧しい人たちに犬やカラスが寄っている情景がある。日本では長らく庶民の墓というものはなく、死体は町は

（上）3 - 23　ヒエロニムス・ボス《七つの大罪　嫉妬》1500年頃　マドリード、プラド美術館
（下）3 - 24　《六道絵　人道不浄相幅》部分　13世紀　滋賀、聖衆来迎寺

ずれの場所に打ち捨てられていた。そこには屍肉をあさる犬やカラスが集まるようになり、死体の掃除役として黙認されていた。そのため、犬が群れている場所は墓地であると認識されたのである。

犬が人間の死体を食べる一方、人間もまた犬を食べた。身近にいる犬は緊急用の食糧となったため、日本でも戦後の食糧難の時代にさかんに食べられ、犬のすき焼きも流行ったという。また、中国や韓国では昔から犬の一種は食肉用として飼育されている。私も何度か食べたことがあるが、赤身で柔らかく、いたずらに忌避するようなものではない。

人間にとってもっとも身近な動物である犬は美術において頻繁に登場してきた動物であり、よい意味も悪い意味も与えられた。そして人間の生活に深く関わっているがゆえに、ほとんどが人間の付属物や延長のような立場に留まり、主役になることは少なかった。その中で、近代日本ではハチやツンのように名前を持つ犬の公共彫刻があることは注目に値しよう。

フェルメールと手紙

好んだ主題

フェルメールは寡作であったが、世界に三十数点しか現存していないフェルメールの作品のうち、六点が手紙を主題としており、手紙を書いたり読んだりする情景は、フェルメールがもっとも好んだ主題であった。

十七世紀のオランダでは、商業の発達により識字率が格段に上昇し、郵便制度が整備されたことから、手紙という新しいメディアが一気に社会に普及した。手紙の文例集はベストセラーになった。他の西洋諸国では、手紙は王侯貴族や知識人階級に限定されていたのだが、オランダでは普通の市民が友人や恋人どうしで気軽に手紙をやりとりするようになった。手紙はいわば、現代のネット社会のSNSのような時代の最先端のツールだったのである。

アムステルダム国立美術館にあり、何度か来日したことのある《恋文》(3-25)は小型作品の多いフェルメールの中でもとくに小型の作品である。手紙を持ってきた召使を見上げる女性を描いたもので、カーテンをたくし上げた入り口から室内をのぞき見るような構図となっている。女性は不安な面持ちで召使を見上げているが、召使はほほえんでいるため、何かよい知らせを持ってきたようだ。これはタイトルとなっているとおり、恋人からのラブレターである。背後に見える画中画は海を漂う船の絵であり、それはオランダでは恋する者を象徴するためである。これはオランダだけの象徴であったが、当時のオランダでは多くの男性が仕事のために日本をはじめ海外各地に出ており、夫や恋人からの手紙の多くも船便であったことに関係するのだろう。

同じ時期に活躍したハブリエル・メツーの《手紙を書く男》（3‐26、次ページ）と《手紙を読む女》（3‐27、同）という対作品は、フェルメールに影響を与えた可能性が指摘されている。ここでもやはり手紙を読む女性の背後には船の絵があり、召使がそれを見ていることから、手紙は恋文であることがわかる。女性の足元には犬がいるが、これは前述のよ

3‐25　フェルメール《恋文》1669-70年
アムステルダム国立美術館

うに彼女の恋人への貞節を示している。

《手紙を書く女と召使》（3‐28）は、熱心に手紙を書く女と、手紙を書き終わるのを待っている召使が描かれている。フェルメールの作品の多くに見られるように、左の窓からの光が部屋を満たしている。背後の大きな絵は、「モーセの発見」という旧約聖書の一節を表したもの。この主題は、和解や救出を象徴するものであるため、女性は何かのトラブルの解決に向けて手紙を書いているのだろう。手前には、書き損じた手紙が床に打ち捨てられており、深刻な状況であることをうかがわせる。一方、傍らの召使はほほえんで窓の外をながめており、紛争とは無関係のようである。

（上）3‐26　ハブリエル・メツー《手紙を書く男》1664-66年　ダブリン、アイルランド国立美術館
（下）3‐27　ハブリエル・メツー《手紙を読む女》1664-66年　ダブリン、アイルランド国立美術館

オランダの市民生活の日常の一瞬を永遠化したようなフェルメールの静謐な絵画世界の中で、手紙だけは人間の感情とかすかなドラマを感じさせるモチーフとなっているのだ。

3 - 28　フェルメール《手紙を書く女と召使》1670-71年　ダブリン、アイルランド国立美術館

コンスタブルと雲

印象派の成立を促す

二〇二一年、東京の三菱一号館美術館で「コンスタブル展」が開催され、残念ながら途中で休止してしまったが、駆け込みでなんとか見ることができた。イギリスの国民的な風景画家ジョン・コンスタブルの久々の展覧会であり、三十五年前の伊勢丹美術館での展覧会もすばらしかったが、今回はコロナ禍で海外展の激減した中で貴重な機会であった。

イギリスの風景画家といえばターナーが有名だが、イギリスではコンスタブルの方が人気が高いという。ターナーが嵐や夕日など自然の劇的な姿をとらえたのに対し、ターナーのライバルであったコンスタブルは生涯にわたって故郷のサフォーク州の穏やかな風景を描き続け、自然好きのイギリス人の郷愁を誘うのである。

初期の代表作《フラットフォードの製粉所》（3-29）は、父親の所有していた製粉所と、そこで挽《ひ》いた小麦粉を運ぶ平底荷船の浮かぶストゥーア川を展望したもので、光を浴びた芝

3 - 29　コンスタブル《フラットフォードの製粉所》
1816-17年　ロンドン、テート・ブリテン

生や木々の鮮やかな緑が印象的である。コンスタブルは屋外で制作することを好み、この大作も現地でイーゼルを立てて描かれたと考えられている。ただし手前の少年とロバは後から付け加えられたものであり、当時はまだ画面の中心にこうした人物のいない風景画は考えられなかった。彼の描く明るい風景画はフランスの画家たちにも影響を与え、やがて印象派の成立を促したことはよく知られている。

この絵では空に浮かぶ雲の描写も見事だが、この画家は雲につねに注目していた。たえず流れてゆき、形を変化させて一時もとどまることのない雲は、洋の東西を問わず、美術でも文学でも格好のモチーフであった。不定形である雲は、日本の絵巻における霞《かすみ》の表現のように様

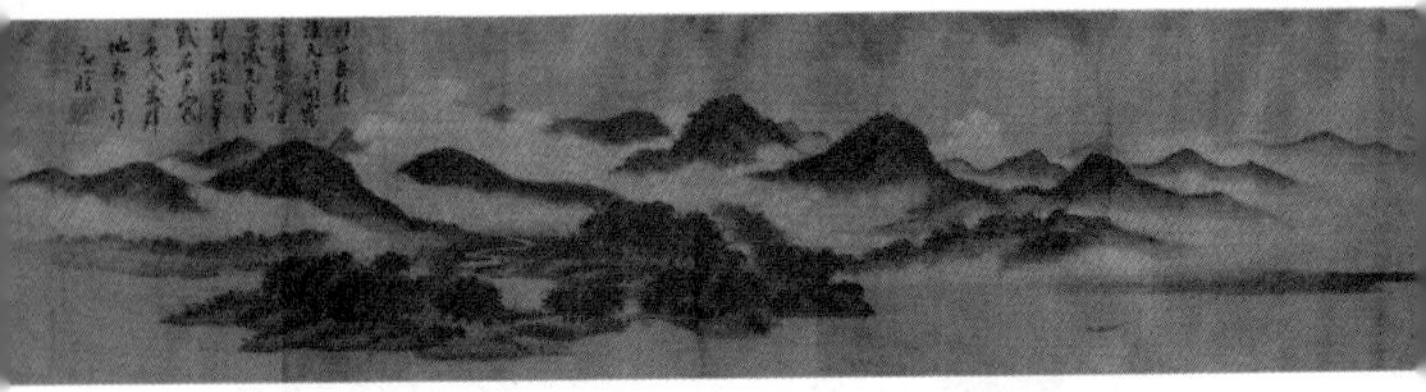

3 - 30　米友仁《雲山図巻》1130年　クリーヴランド美術館

式化される場合もあれば、水墨によって不定形のまま表現されることもあった。中国では唐時代の半ば、輪郭線によらず水墨によって水や雲のような不定形なものを描くようになり、宋時代には《雲山図巻》（3 - 30）を描いた米友仁のような名手を生んだ。

風景画が独立したジャンルとして隆盛した十七世紀のオランダでは、風景画家ロイスダールが雲を作品の重要な構成要素としている。オランダは海抜が低いため、どこに行っても広大な空が広がっているが、ロイスダールの作品の多くでは厚く垂れこめた雲が様々な表情を見せている。

その影響を受けたコンスタブルは、《雲の習作》（3 - 31）というスケッチの連作も遺した。入道雲、ちぎれ雲、羊雲など、日本でも雲に様々な名前が付けられて区別されているが、英語には雲の語彙はそれほど多くない。しかしコンスタブルは、微妙に異なる雲を描き分けようとしている。日本洋画の先駆者、黒田清輝も晩年に雲の習作を描いた。鎌倉の空をスケッチしたものだが、コンスタブルの試みを知っていたように、そっくりである。

　こうした雲の絵を知ると、何気なく見上げている空の雲にも無関心ではいられなくなるだろう。

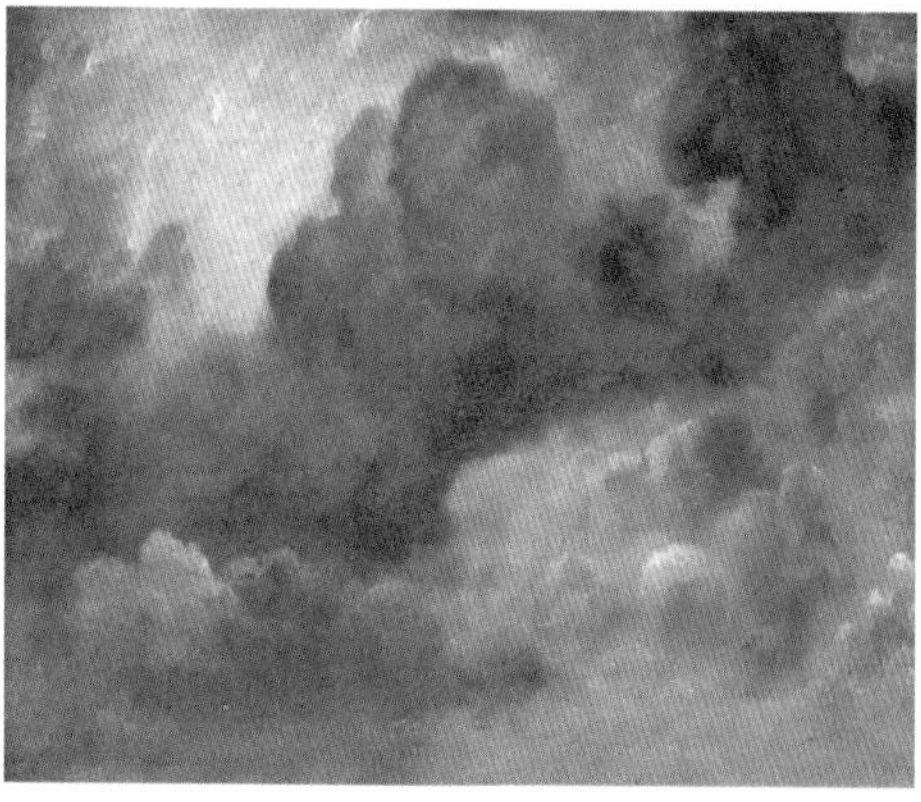

3 - 31　コンスタブル《雲の習作》1822年　ロンドン、テート・ブリテン

アイヴァゾフスキーと波

海を知り尽くしていた画家が描いたもの

ロシアを旅行したとき、アイヴァゾフスキーの《第九の怒涛》（3－32）に四十年ぶりに再会した。一九七七年、東京日本橋三越を皮切りに、京都、福岡、名古屋を巡回した『第九の怒涛』を中心とするロシア美術館名作展」で見て以来だ。地元で県美と呼ばれていた愛知県文化会館美術館の展覧会であった。それ以前も中学校の図書室にあった画集で見たことがあったが、作品を前にすると、約横三メートル半、縦二メートル半という大きさに度肝を抜かれ、しゃがみこんで見入っていた記憶がある。これほど大きな絵は見たことがなかった。以後、本格的な西洋美術の大きさというものを知り、美術にとって大きさがいかに重要かを認識するようになった。この大作は二〇〇三年にも来日し、東京の富士美術館と神戸の関西国際文化センターで展示されたが、このときは見逃してしまった。

嵐の海では、波がだんだん大きくなり、九番目に来る波がもっとも大きく破壊的であり、

3‐32　アイヴァゾフスキー《第九の怒涛》1850年　サンクトペテルブルク、ロシア美術館

それに耐えれば助かるという言い伝えがあった。この作品は、難破して折れた帆柱につかまっている数名の船乗りに、このもっとも大きな波が襲い掛かる情景である。それらを照らす朝日によって、彼らが助かる可能性が示されているようである。人生に襲い掛かる苦難とその先にある希望を象徴すると見ることもできよう。

大自然の猛威と人間との葛藤を描く点で、ターナーらロマン主義風景画の系譜にある。クリミア半島出身のアルメニア人の画家イヴァン・アイヴァゾフスキーは、ロシアを代表する海洋画家で、今なおロシアでもっとも人気のある画家だという。ロシアだけでなく、イタリアにも何度か旅行し、ヴェネツィアやナポリの風景を描いたほか、トルコのスルタンの注文も受けてイスタンブールのエキゾチックな風

3 - 33　ロシア美術館のアイヴァゾフスキーの展示
左が《波》1889年　サンクトペテルブルク、ロシア美術館

景も描いた。

サンクトペテルブルクのロシア美術館は、ロシア美術の名作が目白押しで、ずっと行きたかった美術館であった。その中央の大広間に、《第九の怒涛》が掛けられていた。久しぶりの再会であったが、もはやその大きさには驚かなかった。

そして隣に掛けられているやはりアイヴァゾフスキーの《波》（3 - 33）のほうにより惹かれた。《第九の怒涛》よりもさらに大きな画面で、やはり難破した人々が帆柱にしがみついているが、《第九の怒涛》の朝日のような希望は見られず、轟音をあげて渦巻く灰色の海が広がっているだけである。嵐の海の救いのない恐ろしさをこれ以上なく見事に表現しており、画面に近づいてみると波間に吸い込まれるようで見飽きることがなかった。

3 - 34　アイヴァゾフスキー《黒海》1881年　モスクワ、トレチャコフ美術館

モスクワのトレチャコフ美術館で見たアイヴァゾフスキーの《黒海》（3 - 34）も印象深かった。それほどの大画面ではないが、人のいない海だけの風景画である。しかし、波の微妙な表情や繊細な光などによって、黒海に行ったことはないが、まさにこれこそ黒海だと思わせる作品であった。海を知り尽くしていたこの画家は、難破した人物や船といったモチーフを描かずとも、波と空だけで海のドラマを表現できたのである。

日本にも、長谷川等伯の《波濤図》や北斎の《神奈川沖浪裏》のような激しい波の絵はあったが、やはり日本人にとって波と言えば、のたりのたりと繰り返す波だろう。

最近、神戸市立博物館で、東山魁夷《かいい》が唐招提寺の御影堂のために描いた障壁画の展覧会を見た。《濤

3 - 35　東山魁夷《唐招提寺御影堂障壁画　濤声》部分
1975年　唐招提寺

声》（3 - 35）はやはり人のいない大画面だが、海から突き出た岩に松が生え、画面の左端には砂浜が暗示される。人を拒絶する恐ろしい海ではなく、日本の風土に寄りそう白砂青松なのだ。部屋をぐるりと取り巻く障壁画であるため、画面には中心がなく、海がひたすら広がっていることを感じさせる。濤声というタイトルからは、波の物理的な力や大きさよりも、無限に寄せては返す波の静かなリズムを表現しようとしたものであることがうかがわれる。

魁夷はこの障壁画のために日本中の海岸をスケッチして回ったというが、やはり彼の原点には幼少時を過ごした神戸の穏やかな海があったのだろう。

残照の美術

西洋と東洋における夕日の描かれ方

二〇一九年、山梨県立美術館、神戸市立小磯記念美術館、島根県立美術館で「黄昏の絵画たち」展が開催された。夕日を描いた近代絵画を集めたもので、各館の学芸員たちの興味や思いのつまったユニークな展覧会であった。

赤やオレンジ色に輝く夕日の光や雲は、見慣れた風景を一変させる。その美しさに感動する心情は、古今東西に共通するものであろう。『夜と霧』（池田香代子訳、みすず書房）は、ナチスの絶滅収容所の壮絶な体験をユダヤ人医師ヴィクトール・E・フランクルが著した名著だが、一日の過酷な強制労働を終えて帰路につくとき、赤々とした夕焼け空にみな言葉を失って呆然と眺めるという場面が印象的であった。人間は、死と隣り合わせの極限状況においてさえも、夕日に感動できるということに著者は驚いている。夕日の美は、それほどまでに人を打つものだが、美術に登場するのは意外に遅い。

3-36　アルトドルファー《日没の風景》1522年頃　エアランゲン大学美術館

西洋では風景画の発生したころから夕景は描かれ始めた。管見の限りもっとも古いのは、夕日に染まった森を描いたドイツの画家アルブレヒト・アルトドルファーの十六世紀初頭の水彩画（3-36）である。アルトドルファーは西洋美術史上はじめて人のいない風景画を描いた画家だが、夕日の美をとらえたもっとも早い画家でもあった。その後、クロード・ロランをはじめとする古典的風景画や、ターナーに代表されるロマン主義の風景画でも、朝日や夕日は主要な主題となった。先に見たアイヴァゾフスキーの《第九の怒涛》（3-32、145ページ）も、荒波だけでなく、そこに差す朝日によって著しく劇的な効果が高められている。

東洋ではどうであろうか。「観無量寿経」には、西を向いて日没を見る「日想観」が説かれており、八世紀の盛唐期に描かれた敦煌《とんこう》の第三二〇窟にはその壁画（3-37）があることを同僚の美術史家の増記隆介氏から教わった。たしかにそこには日没を見て座る高士が描かれている。しかし、変色のせいか、夕焼けのような表現は見られない。南宋の馬麟の《夕陽山水図》（3 - 38）は、夕日の赤い雲を表現しており、日本で大事にされてきた。

しかし日本では、なぜか江戸以前には夕焼けの表現はほとんど見られない。中国の画題である「瀟湘八景」には、「漁村夕照」や「煙寺晩鐘」など、夕景を扱うものもあった。中国から請来した牧谿《もっけい》らの水墨画がその規範となったが、そこでは、薄明の情景をすべて水墨の白黒に還元しているため、日本の瀟湘八景図にも夕日の色彩は見られなかったのだろう。十九世紀になって広重の名所絵にわずかに登場するまでは、日本人は夕焼けの空に無関心であったようである。

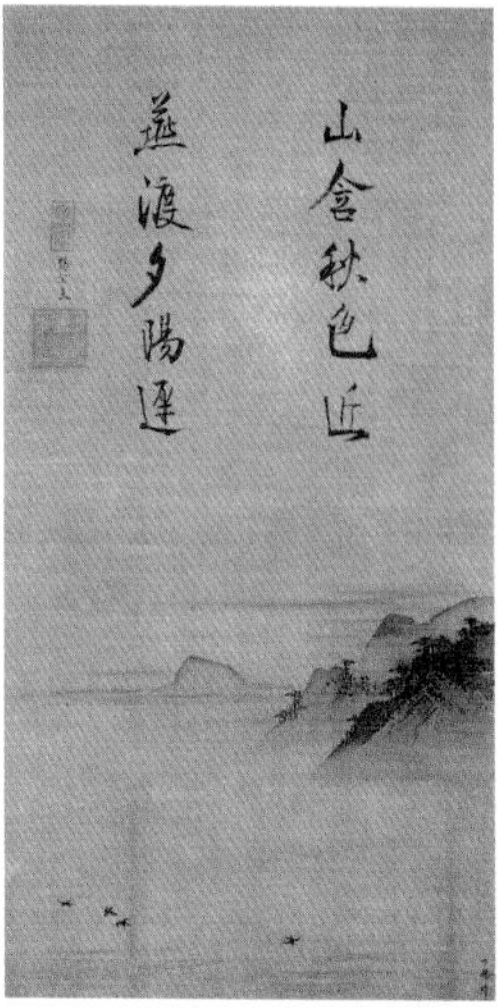

（上）3 - 37 《日想観》敦煌莫高窟第 320 窟北壁西側上
（下）3 - 38　馬麟《夕陽山水図》1254 年　東京、根津美術館

明治初頭に来日して工部美術学校で西洋画を教えたイタリアの画家アントニオ・フォンタネージは、好んでバルビゾン派風の薄暗い森や水辺の夕景を描いた。それらは彼に直接指導を受けた小山正太郎や中丸精十郎をはじめ、高橋由一など当時の洋画家たちに多大な影響を与えた。夕暮れの光景は、日本画においても、菱田春草が色彩による朦朧体によって表現し、版画では浮世絵の情緒を継承して夜景や夕景を得意とした小林清親を経て、大正期の新版画や創作版画でさかんに取り上げられる。

新潟の農村でひっそりと制作し続けた佐藤哲三の《みぞれ》(3-39)は、蒲原《かんばら》平野の寒々とした湿地帯に厚くたれこめる雲や水田に夕日が反射する風景を、荒々しい筆触で描いた傑作だ。

3‐39　佐藤哲三《みぞれ》1953年　神奈川県立近代美術館寄託

死の直前に病魔と闘いながら描いたものだというが、作者の心象風景であるとともに、北陸の寒冷な空気と微弱な光を見事に表現している。フランクルの一節を思い起こさせるが、重苦しく困難な状況にも、夕日の紅色はわずかな慰めを感じさせるのである。

第四章

日本美術の再評価

東洋の自然表現

4－1 《那智瀧図》13-14世紀
東京、根津美術館

日本人の自然観と美意識

二〇二〇年秋、根津美術館で創立八十周年を記念して館蔵の国宝・重要文化財展が開催され、同美術館の名品の多くが展示されていた。ほとんどは見たことがあったが、何度見てもよいものが多く、わざわざ見に行った甲斐があった。

4－2　牧谿《漁村夕照図》13世紀　東京、根津美術館

同館の誇る国宝《那智瀧図》（4－1）は、黒々とした岸壁に白く流れ落ちる滝を正面から描いた単純な構成の画面。那智三山のひとつ、飛瀧《ひろう》神社の御神体である那智滝を描いた垂迹《すいじゃく》画の一種とされ、自然の中に神を見る日本古来の自然観や宗教観をこの上なく示している。

やまと絵の濃彩を基本にしているが、険しい岸壁の表現には北宋の水墨画の影響も見られる。高さが百六十センチに及ぶ縦長の大画面も、北宋の華北系山水画のスケールを思わせる。垂直に降り注ぐ水は天からの啓示の光のようにも感じられ、画面の前に立っているとその荘厳さに打たれる。

一方、牧谿の《漁村夕照図》（4－2）は、水平に広がる水郷を俯瞰した水墨画である。もともと瀟湘八景を描いた絵巻であったが、それが切り離されて軸装されたものの一点。このうち七点が現存しているが、この作品と畠山記念館にある《煙寺晩鐘図》が出色で、国宝となっている。夕闇の迫る漁村に網を引く小舟が浮

かび、民家の屋根とともに人々の生活が感じられる。水を多く含んだ淡墨で描写され、線描はほとんど見られない。それによって、江南地方の湿潤な空気と夕暮れの光が見事にとらえられている。

牧谿の作品は室町時代に日本に多数もたらされ、最高級の名品として宮廷や茶の湯の世界で尊重され、後の日本美術に多大な影響を及ぼした。長谷川等伯の水墨画の名作《松林図屏風》（4‐3）は、牧谿の様式を大画面に拡大して応用したものにほかならない。

しかし、これほどの傑作を描いた牧谿は、中国ではなぜか評価されることはなく、その作品は中国にも台湾にも一点も残っていない。もし日本で尊重されていなければ、その名は完全に歴史から消え去っていたであろう。牧谿の芸術は日本人によって見出され、継承されて豊かに発展したといってよい。

4－3　長谷川等伯《松林図屏風》16世紀　東京国立博物館

《那智瀧図》と《漁村夕照図》は、濃彩と水墨、大画面と小画面、垂直と水平、聖と俗といった点で対照的だが、いずれも自然への深い観照に基づき、卓越した技法を示している。前者は神聖で峻厳な自然を中国に由来する技法によって、後者は親しみやすい漁村を日本人の感性に合致した技法で表現している。両作品は十三、十四世紀という中世の盛期に生み出されているが、西洋ではこのころ自然はまだ美術の対象とはなっていなかった。

日本人の自然観や美意識は、花や紅葉に彩られた恵まれた自然だけでなく、こうした美術の名品の数々によっても培われてきたのである。

日本のアカデミズム、江戸狩野の実力

忘れられた江戸絵画の本流

二〇二一年五月から六月にかけて、静岡県立美術館で「忘れられた江戸絵画史の本流―江戸狩野派の250年」という展覧会が開催された。言うまでもなく狩野派は、和漢の様式を統合して日本独自の様式を確立して日本美術史の本流を作り出したとされる流派であり、世界的に見ても最長の画派である。室町時代に将軍に仕えて和漢を融合した画風を築いた正信から元信、安土桃山時代に信長や秀吉に仕えて豪壮華麗な様式を展開した永徳や山楽、江戸時代初期に江戸に下って徳川幕府に仕え、端正で瀟洒な画風を確立した探幽がよく知られているが、探幽以降、幕末にいたる江戸時代の活動については、ほとんど知られていない。

幕末にその門から出た狩野一信や河鍋暁斎には近年注目が集まり、あるいは木挽町狩野家から出て明治の日本画の基礎を築いた狩野芳崖や橋本雅邦はよく知られているが、その間の二百年あまりが空白のように、すっぽりと抜けて認識されていたのである。

江戸狩野派は、探幽とその弟の尚信、安信の家系が江戸城内に画室を与えられた四つの奥絵師（鍛冶橋《かじばし》家、木挽町家、中橋家、浜町家）となり、それを十二家からなる表絵師が支えるという体制の巨大組織であった。江戸期を通じて千人以上の画家を輩出し、将軍家や大名の求めに応じて描いた主要な画家だけでも百人を超える。さらに地方の藩の御用絵師となり、あるいは町絵師として市井で活躍する絵師も数多くいた。こうした制度によって、狩野派の様式が全国に広がり、標準的な様式の規範として長く定着したのである。

　狩野派は、徹底的に手本を学習させるという粉本主義によって、効率よく筆法や様式を学習させるシステムを確立した。彼らの古典学習は徹底しており、雪舟や南宋水墨画をはじめとする膨大な古画を忠実に写し取っていた。静岡県立美術館の展覧会でも、探幽以下多くの画家の臨画帖や縮図が展示されたが、その模倣の正確さは驚くべきものであり、狩野派の様式を支える古典が効率よく学ばれ、継承されていたのがわかった。しかしこれが逆に自由な創造性をはばみ、画一化に陥らせたと後世に非難されてしまう。

　よく比較されるのが十八世紀以降にフランスをはじめイギリスやドイツなど西洋各地に成立したアカデミーである。そこでも基礎教育として古代彫刻やラファエロの絵画をしっかりと学ばせるカリキュラムが確立していた。今の美術学校の教育でも行われている古代彫刻の石膏デッサンはその名残りである。それによって、古典主義が西洋の標準的な様式となった。
そして西洋では、硬直したアカデミーの理念や教育に反発することで、十九世紀前半から、ロマン主義、写実主義、印象派などが登場し、二十世紀にいたるモダニズムの流れを生み出した。日本でも、応挙・呉春の写生派、大雅・蕪村の文人画、そして若冲・蕭白・芦雪といった奇想の画家たちを生んだ十八世紀の京都画壇や、宗達・光琳・抱一の琳派、あるいは浮世絵版画が江戸絵画を代表するものとされ、その一方で本流であった江戸狩野は一律に保守反動の悪《あ》しきアカデミズムの権化とされて黙殺されてしまったのである。

しかし、西洋の美術史では一九八〇年代からリヴィジョニズム（歴史修正主義）が起こり、印象派と同時代のアカデミズムやサロン絵画が再評価され始めた。一九八六年にパリで開館したオルセー美術館は、パリの印象派美術館の所蔵作品を引き継ぐだけでなく、ブーグローやカバネルといったアカデミーの画家たちも同時に展示し、フランス近代絵画が革新や前衛だけでなく、アカデミズムの充実とともにあったことを示したのである。

それに対し、日本のアカデミズムたる江戸狩野は、西洋に三十年遅れてようやく再評価が始まったところである。静岡県立美術館の野田麻美氏の長年の精力的な調査によって、狩野洞白愛信《とうはくなかのぶ》（4-4）、狩野祐清邦信《ゆうせいくにのぶ》、狩野永悳立信《えいとくたちのぶ》（4-5）、狩野伊川院栄信《いせんいんながのぶ》、狩野勝川院《しょうせんいん》

（上）4－4　狩野洞白愛信《東方朔・西王母図屏風》（右隻）19 世紀前半　日照軒コレクション
（下）4－5　狩野祐清邦信・狩野永悳立信《花鳥図屏風》（右隻）19 世紀前半　日照軒コレクション

雅信《ただのぶ》といった才能豊かな画家たちの活動があきらかになりつつある。一概に江戸狩野といっても、その中には小さな変化も絶え間ない革新もあり、多彩な個性や技術がぶつかりあって発展してきた。

奇想や個性を求める現代人の目から見ると、それらは似通って見えるが、江戸狩野の様式は洗練をきわめ、技術の頂点を示している。そして彼らが室町や中国の古典を貪欲に吸収して後世に正確に伝えたことによって、日本の絵画伝統が受け継がれ、その質が長く保たれたのである。今後編まれる江戸絵画史は、彼らの活動を抜きにしては語れないだろう。

石川雲蝶　越後のミケランジェロ

「過剰な美」と現代の美意識

二〇一八年、研究室の合宿で、石川雲蝶《うんちょう》（一八一四〜八三）の彫刻を見に新潟方面に旅行した。江戸出身のこの彫刻家は、幕末・明治に新潟で活躍し、「越後のミケランジェロ」とよばれる。その絢爛豪華な作品群は近年にわかに注目を集めるようになり、東京からは日帰りバスツアーもある。

越後日光とよばれる魚沼市の西福寺の作品が代表作で、曹洞宗の開祖道元禅師を祀った開山堂は内外が彫刻で埋め尽くされており、天井や欄間の木彫のほか、漆喰による彩色浮彫の鏝絵《こてえ》、仏像、本堂の襖絵《ふすまえ》まですべて雲蝶の手によるものである（4‐6）。西福寺の大龍和尚の依頼により、六年かけ

4‐6　西福寺開山堂正面

4 - 7　石川雲蝶《道元禅師猛虎調伏之図》1857年　西福寺開山堂

て制作し、一八五七年（安政四年）に完成したという。

開山堂の天井彫刻《道元禅師猛虎調伏之図》（4 - 7）は圧巻である。道元が天童山に行く山中で虎に襲われたが、杖を投げるとそれが龍になって虎を追い払ったという逸話を表現している。五・五メートル四方の天井に、透かし彫りと極彩色によって多くのモチーフが空間恐怖のようにびっしりと詰め込まれている。人物や動物にはすべて玉眼がはめこまれ、金箔や毒々しいほどの色彩によって、見上げるとその濃密さに息が詰まるほどだ。その下には白木による精緻な彫りの欄間があり、階段の両脇には仁王像、周囲の壁面には鏝絵が施される。

従来の寺社建築に見られるような、建築空間を装飾するための彫刻ではなく、彫刻装飾そのものが主体となった建築となっている。このような建築と彫刻との関係は、日本美術史上ほとんど例がない。

雲蝶がいかにしてこのような様式に到達したのかはわからないが、東京芝の増上寺に奉納された狩野一信の「五百羅漢」連作（4‐8）のような、幕末の絵画に通じる表現の過剰さが見られるといってよい。つまり、文化が洗練をきわめ、爛熟したときに、技術的な進展とともに表現が過剰になるという文化現象の典型であり、同じような現象は火焔型土器を生んだ縄文時代後期や、西洋の後期バロックにも見られる。

4‐8　狩野一信《五百羅漢　十二頭陀　塚間樹下》1854-63年　東京、増上寺

西福寺からそれほど離れていない十日町市博物館には、国宝の火焔型土器が展示されている（4‐9、次ページ）。この土器は二〇二〇年に予定されていた東京オリンピックの聖火台のモデルとな

ったとのことで注目を集めていた。

「スペインのミケランジェロ」とよばれたチュリゲラ一族は、金を多用した過剰なまでのバロック装飾によって、近代まで悪趣味だとされていたが、二十世紀に美意識の変化とともに再評価されるようになった。

石川雲蝶の作品もまた、日本的な枯淡の美やわびさびの美意識とは対極にある、見ようによっては悪趣味でキッチュなものであるが、幕末の美術の再評価とともに浮上したのである。近年の縄文ブームも類似の風潮だといえよう。こうした過剰な美こそが、現代の美意識に合致するようになったのかもしれない。

4‐9　火焔型土器　新潟県笹山遺跡出土深鉢型土器縄文時代中期（紀元前3400-2400年頃）十日町市博物館

木島櫻谷の復権

知る人ぞ知る近代日本美術史上の傑作

木島櫻谷《このしまおうこく》は大正から昭和初期の有名な日本画家であったが、なぜか半ば忘れ去られていた。二〇一七年は生誕百四十周年であり、京都の二つの美術館で展覧会が開催された。泉屋博古館の「木島櫻谷―近代動物画の冒険」展は、代表作《寒月》（4-10、次ページ）や新発見の大作《かりくら》をはじめ、この画家の得意とした動物画を中心とする充実した内容であった。この後、東京の泉屋博古館分館でも木島櫻谷展が二期にわたって開催された。

京都文化博物館の「木島櫻谷の世界」展は、櫻谷のパトロンであった大橋家から京都府に寄贈された作品群を展示している。《月下遊狸》（4-11、171ページ）のような愛らしい小品が中心であったが、櫻谷の幅広い作域や卓越した描写力をじっくり堪能できた。

また、画家の邸宅兼アトリエであった衣笠の木島櫻谷旧邸は京都市指定文化財となったが、この機会に特別公開され、作品や下絵も展示されていた。

4 - 10　木島櫻谷　《寒月》1912 年　京都市美術館（深井純撮影）
（上）左隻　（下）右隻

代表作《寒月》は第六回文展で最高賞を受賞した大作で、月が煌々と照らす雪の竹林に、一匹の飢えた狐がさまよう。竹の位置によって奥行きが表現され、冷ややかで澄んだ空気が漂う。一見モノクロームのように見えるが、樹木の部分には焼いた群青を塗って、きらきらと輝く効果を上げていることが、最近の調査によって判明した。泉屋博古館の実方葉子氏によると、雪の面も余白ではなく、全面べったりと白く塗られているという。

夏目漱石はこの作品を酷評したが、それはこうした洋画的な技巧や演出を嫌ったためであろう。自らも南画をたしなみ、美術通とされる漱石の批評眼がこのときは乏しかったといわざるをえない。櫻谷は以後も文展や帝展に出品し続け、住友家などの庇護を受けて京都でもっとも有力な日本画家となった。だが、《寒月》を超える作品はついに生み出すことができ

4 - 11　木島櫻谷《月下遊狸》大正〜昭和頃 京都府所蔵（京都文化博物館管理）

4 - 12　菱田春草《落葉》1909年　東京、永青文庫

なかったように思われる。

この絵は、その三年前の文展でやはり最高賞をとって話題となった菱田春草の《落葉》(4 - 12)の刺激を受け、それを雪景色に変えて得意の動物を配したものと見ることができよう。さらに、長谷川等伯の《松林図》(4 - 3、158ページ)やその基になった牧谿の《観音猿鶴図》など、古画学習の痕跡も見える。

ただ、春草の《落葉》が後世も名作として賞賛され、重要文化財にまでなった一方、櫻谷の《寒月》はあまり日の目を見ず、知る人ぞ知る作品となってしまった。だが、《落葉》に匹敵する近代日本美術史上の一大傑作であることはまちがいない。

この画家は、今日にいたってようやくその重要性に見合った名声を回復しつつあるといえよう。

西郷隆盛　作られたイメージ

意外な事実

西郷隆盛は国民的英雄だが、生前の写真は一枚も残っていない。しかし、その人気を示すように多くのイメージが作られてきた。西郷のこうした様々な肖像が、明治維新百五十年を迎える二〇一八年、NHK大河ドラマにちなんで東京、大阪、鹿児島に巡回した「西郷《せご》どん」展に並べられていた。

西南戦争のときに数多く作られた錦絵では、ほとんどの場合、西郷は立派な髭をたくわえている。しばしば写真だと勘違いされる西郷像は、西郷没後の一八八三年にイタリア人のお雇い外国人の版画家キヨッソーネが描いたもの（4‐13）で、西郷に会ったことのない彼は、顔の上半分を西郷の弟の西郷従《つぐ》

4‐13　エドアルド・キヨッソーネ《西郷隆盛像》1883年

（右）4-14　床次正精《西郷肖像》明治中頃　鹿児島市立美術館
（左）4-15　床次正精《西郷隆盛肖像画》1887年　郡山市美術館

道《みち》、下半分を従兄弟《いとこ》の大山巖《いわお》をモデルにして描いたと言われている。原画は焼失したが、西郷像の基準となり、その後の多くの西郷像に影響を与えた。

西郷と面識のあった同郷の床次正精《とこなみまさよし》は維新後、判事をしながら独学で油彩を学び、西郷の没後、西郷像（4-14、4-15）を何度も描いた。石版画のものは右下に「西郷従道　黒田清隆　検閲」とあるので、弟の従道をモデルに、黒田の意見を参考に描かれたものと思われる。キヨッソーネの肖像にも近く、生前の西郷はこのような容貌であったと判断してよいであろう。

西郷に師事した元庄内藩士の石川静正が、西郷の慰霊祭で掲げるために描いた肖像画

（4－16）は、展覧会のポスターになっていたが、温和で優しげな表情であり、作者の西郷への思慕の念が表れているようだ。

だが、西郷像でもっとも親しまれているイメージは、既出の東京の上野公園に建つ銅像（3－17、129ページ）であろう。「上野の西郷さん」として都市のメルクマールになって親しまれている。東京美術学校に制作が依頼され、高村光雲が同僚や弟子たちと十年近くかけて作った像で、木彫を原型としているため、仏像のような丸みのある造形となっている。

しかし、一八九八年にこの像が除幕されたとき、西郷未亡人の糸が、主人はこんな人ではないと叫んで関係者をあわてさせたのは有名である。それほどまでに、この像は西郷に似ていなかったのだろうか。そうではなく、この像が浴衣の着流し姿だったため、西郷は浴衣姿で人前に出るような礼儀知らずではないと訴えたというのが真相だとされる。

これより十年ほど前、京都に西郷の騎馬像を建設する計画があったが、発起人の死によって

4－16　石川静正《西郷隆盛肖像画》大正時代初　個人蔵

頓挫しており、また東京の西郷像も当初は、馬上の陸軍大将の軍服姿という計画であったのが、資金の問題から縮小されたものであった。糸はこうした計画を知っていた可能性があり、そのためにあの姿に落胆したのかもしれない。

軍服姿のいかめしい姿や堂々たる騎馬像はたしかに英雄にふさわしいが、それよりも、この像はモニュメントとしては異例なことに、愛犬をつれた日常的な姿であるがゆえに、長く人々に愛されてきたのである。

渡辺省亭と迎賓館

壮大な「廃墟」

二〇一八年、東京四谷にある迎賓館赤坂離宮で「没後100年　渡辺省亭《せいてい》特別展」が開催された。省亭は、明治期に何度も海外の博覧会に出品して好評を博した日本画家だが、最近にわかに再評価が進んでいる。二〇二一年には東京藝術大学大学美術館で大規模な回顧展が催され、豪華本も出版された。抜群の描写力を持ち、印象派の画家ドガとも交流があり、早くから海外で認められた実力派でありながら、国内の画壇とのつながりが薄かったために評価が遅れたこの巨匠も、ようやく本来の評価を回復しているといえよう。

迎賓館の「花鳥の間」（4‐17）の壁面には、省亭の下絵に

4‐17　迎賓館「花鳥の間」

4 - 18　迎賓館赤坂離宮本館

基づいて濤川惣助《なみかわそうすけ》が制作した無線七宝の円形花鳥画三十点が設置されている。濤川は明治の七宝を代表する帝室技芸員で、彼の代表作でもある。ただ、「渡辺省亭特別展」と銘打ちながらその他に省亭作品はなく、東京国立博物館にあるその下絵くらいは展示してほしかった。

だが、この機会に迎賓館の内部をじっくり見ることができた。本館（4 - 18）は一九〇九年に皇太子の居所である東宮御所として建てられた。明治を代表する建築家で、京都や奈良の国立博物館の建築で知られる片山東熊《とうくま》の設計で、彼が西洋各地の建築を見て学んだネオ・バロック様式の堂々たる宮殿である。明治末の日本の建築技術と美術工芸の粋を集めた一大記念碑といってよい。

戦後国有化され、村野藤吾による改修と、谷口吉郎による和風別館の増築を経て、迎賓館として生まれ変わった。現在も国賓の接待に用いられているが、二〇〇九年に国宝となり、二〇一六年から一般にも公開されるようになった。

内部はきわめて豪華であり、公式晩餐会の行われる「花鳥の間」には、天井には二十四点の油彩の花鳥画、欄間は綴錦織《つづれにしきおり》、壁面には前述の七宝陶板が貼られ、全体は木材を基調としたアンリ二世様式でまとめられている。

4 - 19　迎賓館「朝日の間」天井画

現在修復中の「朝日の間」は、天井に暁の女神アウロラが描かれている（4 - 19）。凡庸なこの油彩画はフランスのペルツという画家が描いたというが、この画家は画史画伝のうちに見えない無名の装飾画家である。国内の総力を結集した大事業で、なぜ肝心の天井画を日本人画家でなく、フランスの二流画家に依頼したのであろうか。「花鳥の間」の天井画も、青空を描いた「羽衣の間」の天井画もフランスに発注されている。

内部装飾を指揮した黒田清輝はこうした絵画が苦手であったとはいえ、周囲でこの装飾に関わった和田英作や岡田三郎助にはまだ技量があったはずである。国内の洋画家はそれほど信頼されていなかったのだろうか。

建築も内部装飾もすべて日本人の手になるものでなかったのは残念である。結果として、日本では稀《まれ》な豪壮華麗な建造物となったが、すでにモダニズムの生まれた二十世紀になって完成した点で、時代錯誤的ともいえる。西洋の完全な模倣に近いこの宮殿には、当然というべきか、外国人の観光客は少ないという。西洋ではこれに類した宮殿はさして珍しくもないから当然である。近代の日本が必死で西洋に追いつこうとした努力と虚勢の漂う壮大な廃墟のようにも見えた。

牧島如鳩の宗教画

民衆の純粋な信仰の所産

二〇二〇年夏、栃木県の足利市立美術館で牧島如鳩《にょきゅう》の展覧会をやっていた。貴重な機会であるため、ひきこもりで鈍った腰を上げて見に行ってきた。

牧島如鳩は明治から昭和にかけて、美術の潮流とは無縁に活躍した異色の画家。そのため、長らく忘れ去られていたが、近年、足利市立美術館の江尻潔氏の精力的な調査によって全国に散らばった作品が発掘され、再評価されつつある。

如鳩はロシア正教の伝道師でもあり、ニコライ学院で山下りんにイコンを学び、当初はイコンや聖母像を描いていたが、戦後は仏画も数多く描き、晩年は東京本郷の願行寺に身を寄せてそこで没した。

磔刑のキリストと千手観音を合体させたような作品や千手千眼のマリアなど、キリスト教や仏教の図像を融合した独自の宗教画が注目される。如鳩にとって、キリスト教も仏教も神

4 - 20　牧島如鳩《龍ヶ澤大辯才天像》1951年　足利市立美術館寄託

道も、唯一神にいたる道のちがいにすぎなかった。

だが、それらの何点かは東日本大震災後に焼失してしまった。

《龍ヶ澤大辯才天像》（4 - 20）は、福島県いわき市竜ヶ沢の弁財天社を再建するときに人々に現れた霊験に基づいて描かれた大作で、神社に納められていた。龍に乗った弁財天が童子とともにこの地に下って来ており、自由で伸びやかな幻視をとらえている。江尻氏によれば、これは「共同体が見た夢の記述」であり、この画家は「仰々しい教えや体系づけられた宗教よりもこのような素朴で純粋で敬虔な信仰を好んだ」という。画家自身、この作品を描く前に「お示し」を受け、そのとおりに描いたものだという。

その翌年に制作された《魚籃観音》（4 - 21）は彼

4 - 21　牧島如鳩《魚籃観音》1952年　足利市立美術館寄託

の代表作である。不漁に悩むいわき市小名浜の漁師のために制作され、中央に大きく鰯《いわし》の稚魚の入った玻璃の壺《つぼ》を持つ魚籃観音、右背景に菩薩や天女、左背景に聖母や天使がおり、下方には小名浜港の景観が広がる。観音は裳《も》として網をまとい、網には多くの童子が散華のように魚を持って群がっている。完成したこの大作を人々はトラックの荷台に載せて練り歩き、以後豊漁が続いたという。長らく海の見える漁協の組合長室に掛けられていた。

震災の少し前から足利市立美術館に寄託されていたため難を逃れ、以後は、震災被害者の鎮魂のシンボルとなった。豊漁祈願から追悼や鎮魂へと、文脈が変わってもその霊性は保たれているようだ。

牧島の作品は、絵馬や奉納画と同じく民衆の純粋な信仰の所産であり、展覧会用の美術とは異なる宗教画本来の力を持っている。そのために従来の美術史では見過ごされてきたのだが、私は《魚籃観音》は、狩野芳崖の《悲母観音》、原田直次郎の《騎龍観音》（いずれも重要文化財）とともに近代日本の三大観音だと思っている。

東郷青児とデパート文化

近代日本の庶民のあこがれを視覚化

東郷青児は、日本の前衛美術の先駆者にして、戦後は大衆にもっともよく知られた洋画家であった。しかし、一般的な知名度の割には美術関係者の評価は高くなく、美術史の中で正当に評価されてきたとはいいがたい。

二〇一八年、生誕百二十年を記念して、大阪のあべのハルカス美術館でこの画家の展覧会が開催された。この画家はキュビスムや未来派にあこがれて二科展でデビューした後、パリに渡り、六年間も滞在した。しかし、大胆な前衛様式に進むことなく、キュビスムを応用して形体を単純化する古典的な様式を身につけ、筆跡を残さない平滑な画面による女性像ばかりを描き続けた。

彼は長く二科展のリーダーであったが、その本領は、多くの人々の目に触れる雑誌の表紙や商品の広告や包装紙、そしてデパートや劇場の壁画や緞帳《どんちょう》にあった。

4 - 22　東郷青児《山の幸》1936年　京都丸物百貨店6階大食堂壁画　シェラトン都ホテル大阪

デパート、つまり百貨店は、十九世紀にイギリスやフランスで建てられたものを模範として二十世紀初頭から東京や大阪に建てられ、各都市に広がっていった。多様な舶来品や催事を通じて、庶民にもっとも身近な西洋文化の展示場となった。展覧会も洋食も、デパートではじめて味わった人が多かったのである。

東郷青児は日本中のデパートの壁画に腕を振るった。この展覧会で展示されていた作品でもっとも目を引いたのは、京都にかつてあった丸物百貨店の大食堂に藤田嗣治とともに描いた壁画。藤田が《海の幸》、東郷が《山の幸》（4 - 22）を描き、さらに二人は合作《海山の幸》を残した。パリで画壇の寵児であった藤田と親交を結んだ東郷は、大衆をひきつける職人的な技術など多くのことを藤田から学んだのである。

その後、東郷は戦後にかけて、浜松の松菱百貨店や熊本の大洋デパートなどのほか、上野

4 - 23　東郷青児
名古屋丸栄百貨店エレベーター扉絵　1954年

駅南口や京都朝日会館外壁の壁画も描く。これらはいずれも現存しないが、藤田の理想とした公共的な美術を実現したものであった。

名古屋で松坂屋と並ぶ老舗百貨店の丸栄は、モダニズム建築の巨匠、村野藤吾による建築で、エレベーター扉（4 - 23）は東郷青児のデザインである。果物籠を持つ二人の女性というモチーフは《山の幸》の延長線上にある。名古屋出身の私は、松坂屋、三越（かってはオリエンタル中村）、丸栄、名鉄の4Mとよばれる名古屋のデパートのこの老舗に長く親しんできた。休日に親に連れられてデパートに行くことは、子どもにとっていつも心躍る経験であった。東郷の絵は、まさに近代日本の庶民の西洋へのあこがれを視覚化したものであった。

この丸栄は二〇一八年、惜しくも閉店してしまったが、東郷の絵やデザインも次第に風化していくようだ。今でもいくつもの洋菓子店の包装紙に使われているが、モダンでハイカラというより、ノスタルジックでどこか懐かしい感じを与えるのである。

回顧展の開催されたあべのハルカス美術館は近鉄百貨店の上階にあり、まさにこの画家を回顧するにふさわしい華やかな舞台であったといえよう。

浦上玉堂の名作

「日本のゴッホ」による自画像

二〇二一年春、岡山県立美術館で「雪舟と玉堂」展が開催された。二〇二〇年は、雪舟生誕六百年、浦上玉堂は没後二百年に当たり、岡山出身の両巨匠の記念年であった。日本の水墨画を確立して画聖とよばれる雪舟と、日本の文人画の最高峰とされる浦上玉堂の主要な作品のほとんどが展示された大展覧会で、まことに壮観であった。雪舟の《山水長巻》（4‐24、次ページ）は、防府《ほうふ》市の毛利博物館で年に一度展示されるが、失われた夏珪の山水画巻を基にしながら、きびきびとした筆触による豊かな自然描写と四季の移り変わりをたどることができる。何度見ても感動を覚える至高の名品だ。

玉堂は、戦前に来日したドイツの建築家ブルーノ・タウトが、近代日本の生んだ最大の天才にして「日本のゴッホ」と評し、戦後になってその評価が急上昇した。現在では、池大雅、与謝蕪村、田能村竹田と並ぶ文人画・南画の巨匠として人気が高い。

4 - 24　雪舟《山水長巻》部分　1486年　防府市、毛利博物館

第三章「酒と美術」でもふれた代表作《東雲篩雪図》(4 - 25)は、文豪川端康成が購入して生涯愛蔵していた名品で、国宝になっている。代表作とはいえ、玉堂の作品では異色で例外的であり、唯一の夜景画である。縦百三十センチあまりの大幅で、夜の闇の中に雪山がそびえ、葉を落とした木々が風になびいている。画面下部には橋がかかり、高士が書を読む茅屋があり、画面中部にも家々や石塔が見える。あちこちに細かい朱が散らされており、紅葉の名残りを示している。

画面上部の左には隷書で「東雲篩雪」という画題が記され、その下に「玉堂琴士酔作」という落款がある。「篩雪」とはふるいにかけたような細かい雪のこと。「東雲」は明け方の雲のことであり、夜明け前の情景であると解釈されるが、そうではなく

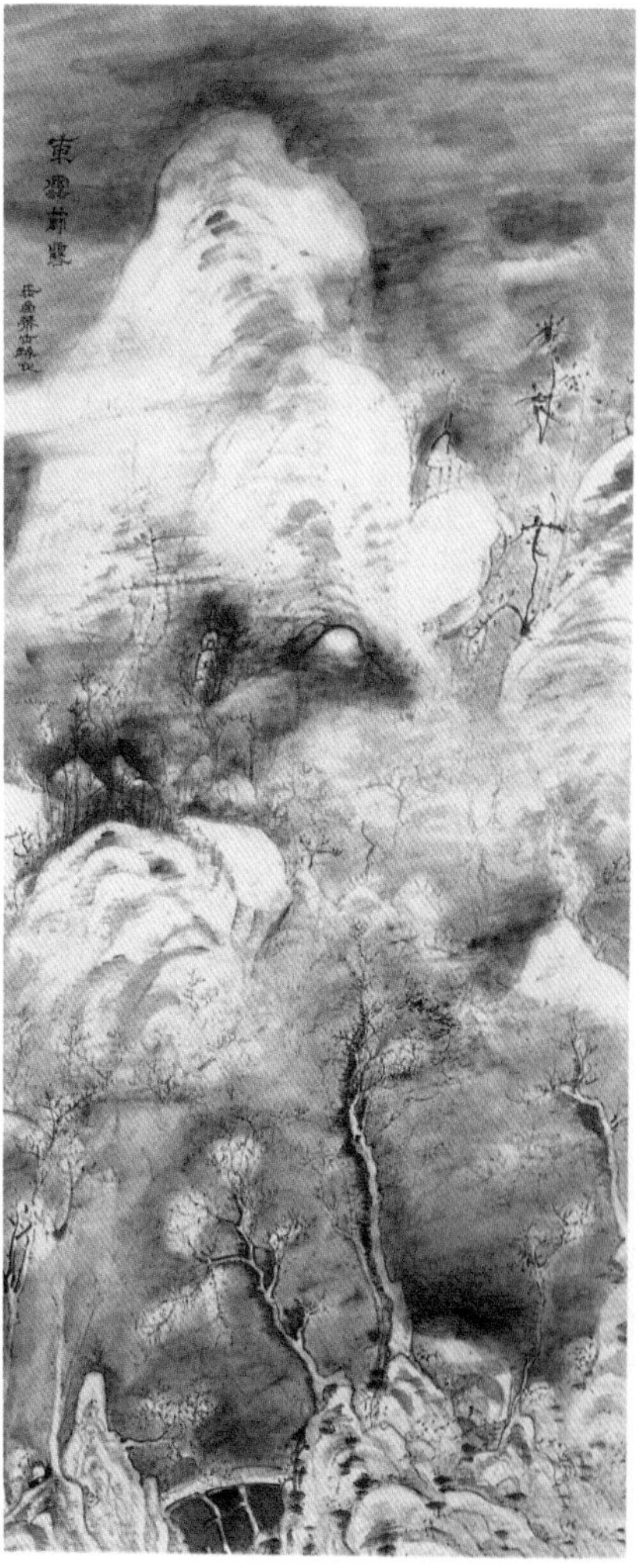

4-25 浦上玉堂《東雲篩雪図》19世紀初頭　鎌倉、川端康成記念会

「凍雲」、つまり冬の凍《い》てついた雲であるという説もある。重く垂れこめた黒雲や吹雪の表現からは夜明けを示す兆候は見えず、後者の意味だと思う。

西洋や中国とちがって、日本の伝統的な山水画の多くは、人間と融和した平和で親密な自然を表現するものであった。しかし、この作品は人間を拒絶するような峻厳で恐ろしい自然を全面に出した心象風景である。画面に目を近づけて下から上にじっくり見ていくと、荒涼とした雪山に迷い込んであてどなくさまよう心地がする。

玉堂は、備前鴨方《かもがた》藩士で、大目付にまで昇進したが、妻を亡くしてほどなく、五十歳のときに突然脱藩し、二人の息子、春琴と秋琴とともに七弦琴を抱いて諸国を放浪し、多くの文人と交わりながら琴と詩書画の世界に生きた。会津にもしばらく滞在し、次男の秋琴を会津藩に出仕させたが、このとき東北の厳しい自然に接した印象がこの作品の着想源になっていると思われる。

画面中央でひときわ目立つ樹木は玉堂自身、その左右の木は二人の息子のようだ。厳冬の山中で風雪に抗して立つこの樹木は、穏当な生き方を捨てて文人の理想に生きた玉堂の自画像のように思えてならない。

オンラインと対面

実物と対峙する重要性

二〇二一年五月、美術史学会の全国大会を神戸大学で開催した。神戸大での開催はちょうど二十年ぶりであったが、緊急事態宣言に伴って、三日間とも全面オンライン開催になってしまった。全国や海外からも五百人ほどの会員が参加し、たいへんな盛会となった。オンラインとはいえ裏方の仕事は膨大で、予行演習やトラブル処理などに忙殺され、手伝ってくれた数名の大学院生ともども疲れはてた。飲み屋も営業を停止していて打ち上げもできず（最終日に研究室で卒業生からいただいた差し入れを飲んだが）、こういう仕事は二度とやりたくないと思ったものである。

二〇〇一年の大会のときは、一週間ほど大学に泊まり込み、その忙しさや疲労は何倍もあったが、終わった後の満足感は格別であった。ところが、今回のオンライン学会は、無事に終わったとはいえ、疲労感ばかりで何の達成感も得られなかったのだ。

こうした愚痴を美術館に勤めていたころの元同僚に語ったところ、ビデオインスタレーションの展覧会と同じだと言われた。美術館の広大な壁面を埋め尽くし、大音響と強烈な光にあふれるビデオアートの展覧会が終わった後、展示室に入ると映写機だけがぽつんと置かれており、先ほどまでの華々しい画面や騒ぎは何だったのだろうと不思議に感じたという。通常の展覧会であれば、作品群が撤去された後の展示室は、そこにあった絵画や彫刻の気配や、展示風景の記憶を濃厚に留めている。しかし、ビデオ展示の場合、最初から何事も起こっていなかったように白々とした空間が広がっているのみで、非常にむなしいのだという。

人に会うときも同じであろう。スクリーン越しに長時間話しても、実際に会ったときほどの印象は残らない。今回はオンラインで多くの人と会っていながら、その誰とも対面していないために、終わった後むなしさを感じたのだろう。

現在、多くの大学では講義のほとんどがオンラインによる遠隔授業となっているが、私は、大きなスクリーンを見てその空間を共有してほしいことから、換気や消毒などの配慮をしつつあえて対面授業を続けている。そして、美術館・博物館への見学授業も従来どおり行っている。オンラインの講義は、家にいながらにしてでき、また撮りためておけることなどから、楽だと言って好む教員も多いが、私は受講生の反応がわからないことから、壁に向かって話しているようでやりがいがなく、嫌いなのだ。

二〇二一年の夏、約五十名の学生を引率して奈良国立博物館に「聖徳太子と法隆寺」展を見学した。法隆寺では通常は見られない、また見られても距離がある仏像や宝物を間近でじっくり見ることができ、大いに満足した。

常設（なら仏像館）の名品展示では、吉野の名刹、金峯山寺《きんぷせんじ》の仁王門にあった一対の金剛力士立像（4-26、次ページ）が修復を終えて展示されていた。南都大仏師康成《こうじょう》が一三三八年から翌年にかけて制作したもので、高さ五メートルの巨像である。その大きさも、デフォルメされた大胆なモデリングも、像の前に立たないとわからないものだ。学生たちも見上げては感銘を受けていた。

多くの館が休館している中、作品のある空間に身を置いて作品と対面する体験がどれほど大切か、改めて気づかされた。

4 - 26　金剛力士立像　14 世紀　奈良、金峯山寺（奈良国立博物館寄託）

第五章

信仰と政治

宗教とスキャンダル

宗教は美術の母体

二〇二〇年九月、パリの風刺週刊誌『シャルリー・エブド』の旧本社前で刃物による襲撃事件が起き、十月には男性教師が殺害された。同誌は二〇一五年にムハンマドの風刺画を掲載したために銃撃テロがあったにもかかわらず、再びムハンマドの風刺画を掲載し、男性教師はそれを授業で生徒に見せたことが原因であったという。

欧米では宗教にからむ美術スキャンダルが多い。今回のようなイスラム関係だけでなく、キリスト教のイメージが騒動になる事件がたびたび起こっている。

一九八七年、アンドレス・セラーノは、小便を満たした瓶の中に磔刑像を浸した写真を、《小便のキリスト》（5‐1）と題して発表して物議をかもした。彼は血液や精液など、人間の体液をモチーフにしてきたのだが、政治家や宗教家などが神への冒涜《ぼうとく》だと批判した。その後、この作品は展示のたびに非難され、怒った観客によって何度も破壊されてきた。

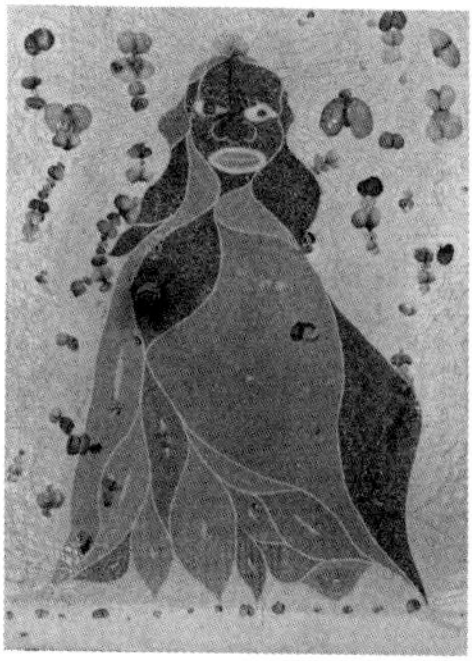

（右）5－1　アンドレス・セラーノ《小便のキリスト》1986年
（左）5－2　クリス・オフィーリ《聖処女マリア》1996年
ニューヨーク近代美術館

一九九九年、クリス・オフィーリの《聖処女マリア》（5－2）という絵画が話題となった。ニューヨークのブルックリン美術館で開催された展覧会に出品されたもので、作者は前年に黒人で初めてターナー賞を受賞した有望なイギリスのアーティスト。青い衣をまとった黒人の聖母の周囲に、ポルノ雑誌から切り抜いた黒人や白人の尻と女性器の写真が天使のようにコラージュされている。聖母の胸の部分には象の糞が貼り付けられている。

当時のニューヨーク市長ジュリアーニはこの作品はカトリック信者を侮辱していると非難し、会場の美術館に対して市からの援助を打ち切ろうとして訴訟になった。観客が画面に白いペンキをかけるという騒動もあった。

ナイジェリア人の子としてロンドンに生まれた

オフィーリは、「ナショナル・ギャラリーに行って聖母の絵を見たとき、それらが性的なものに満ちているのがわかった。ぼくの絵はそのヒップホップ版にすぎない」と語っている。聖母の周囲に貼り付けられた女性器の写真は、聖母に向けられてきた性的な視線をあきらかにし、象の糞は、野生や自然の生命力を示すのだろう。その後、この作品はオークションで約五億円で落札され、現在は現代美術の殿堂であるニューヨーク近代美術館に展示されている。

セラーノもオフィーリもカトリック信者であり、神を冒涜するつもりはなかったが、作品の衝撃のために激しく批判された。元来、宗教はあらゆる美術の母体であり、美術の中心的なテーマであったが、現代美術においては、宗教を扱うと反発を招くことが多いのだ。

日本では美術を巡るスキャンダルは、猥褻《わいせつ》か政治に関わるものがほとんどであり、そのような騒動とは無縁である。日本人の多くが宗教に無関心で、芸術にも宗教色が希薄なためであろう。

ミネアポリスの壁画に見るストリートアートの底力

アメリカ「ジョージ・フロイド事件」の現場で

二〇二〇年五月二十五日、アメリカ中西部の都市ミネアポリスで黒人男性が警官に逮捕され、首を圧迫されて死亡した事件が起こり、その様子を撮影した動画が拡散したことから、全米で人種差別に抗議する大規模なデモや暴動が起こった。ミネアポリスといえば、全米有数の大美術館がある都市として美術関係者には知られている。

たいへん痛ましい事件だが、一連の報道で目を引いたのは、事件のあった現場の近くにいつのまにか立派な壁画が出現し、その前が多くの献花で埋め尽くされて、即席の巨大な追悼会場になっている光景（5‐3、次ページ）である。壁画は事件の三日後に、ジーナ・ゴールドマンら複数のアーティストが誘い合って集まり、一日で描き上げたものだという。大きく被害者ジョージ・フロイドの名前と顔が描かれ、後光のようなヒマワリの内側には、同じように警官に殺された黒人犠牲者の名前が列記されている。この場所はその後まもなく、ジョ

5 - 3　ジョージ・フロイド追悼壁画　2020年　ミネアポリス

ージ・フロイド記念公園として整備された。

アメリカでは、こうしたストリートアートは現代美術の一大ジャンルとなっている。基本的に街の落書きのことであり、グラフィティともいう。塀やシャッター、地下鉄の車体にペイントする彼らの行為はほとんどが非合法であるため、彼らは本名でなく、タグネームとよばれるグラフィティ用の通称を記す。自己主張と匿名性の間を揺れ動くこの特異な芸術は、制度化され、市場経済に取り込まれたアートへの強烈なアンチテーゼである。同時に、広く民衆に働きかけていた壁画芸術や民族芸術の生命力を想起させる。

ニューヨークのスラムで黒人の若者たちによって生み出されたと思われがちだが、作者の出自や動機は千差万別であり、ひとくくりに論じることはできない。第二章で見たジャン＝ミシェル・バスキアや八ヶ岳に美術館のあるキース・ヘリングは、路上からギャラリーや美術館に移行してアート界で大成功を収めた。日本でも近年バンクシーの落書きが話題となり、こうした芸術の知名度が高まってきた。

バンクシーの先駆的存在であるジョン・フェクナーは、ステンシルとスプレーを使って警句や予言のような言葉を記し、その土地の記憶を呼び起こしてきた。二〇一二年にアトランタの街角に残した《私にはまだ夢がある》という作品（5-4）は、この地で生まれた黒人解放運動の指導者キング牧師の有名な「私には夢がある」を踏まえたもの。キングの演説は黒人と白人とが仲よく共存する社会を夢見たものだが、その夢が五十年たってもまだ実現していないことを告発している。

制度的に確立した美術館とちがって、路上のアートはいずれ消滅するが、本来大衆に開かれていた壁画芸術の生命力を想起させ、美術のあるべき姿について考えさせられる。

5-4　ジョン・フェクナー《私にはまだ夢がある》2012年　アトランタ

今回のミネアポリスの壁画は集団で制作し、公共の追悼の場を迅速に作り上げた点で、怒りや悲嘆といった大衆の感情に見事に対応している。デザイン的にも簡潔で力強く、強い説得力を持っている。アメリカのストリートアートの底力を見た気がした。

この壁画は、人種差別撤廃を訴える「ブラック・ライヴズ・マター運動」の起爆剤になったとされ、オレゴン州ポートランドやオハイオ州トレドにも似たようなジョージ・フロイドの壁画が描かれた（後者は落雷で崩壊したことで注目を集めた）。

一方、二〇一七年、バージニア州シャーロッツヴィルにあったリー将軍の騎馬像が撤去されることになった。リー将軍は南北戦争で奴隷制維持を掲げた南部連合の英雄。これに対し、主に白人至上主義者による撤去反対運動が起こり、騒乱となって死者まで出た。法廷でも争われた結果、二〇二一年七月、ついに撤去され、全米各地で南部連合の英雄像を撤去する動きが起こった。百五十年前の南北戦争にまつわる記念碑で、すっかり歴史化して親しまれた銅像でさえこのような問題を生むのである。二十世紀後半、ソ連邦から独立した国々で次々にレーニン像が引き倒され、イラク戦争後、バグダッドでフセイン像が破壊されたことなども想起させる。公共の記念碑は強い政治性を帯びるのが普通であり、同じことが路上の壁画にも当てはまる。政情の変化によっていつ消滅しても不思議ではないのだ。

ロシアのイコン

教会の内部に埋め尽くされる

　ロシアは十世紀末にビザンツ帝国からキリスト教を取り入れて以来、ロシア正教を奉じるキリスト教国であった。しかしソ連時代にキリスト教は弾圧され、多くの教会が破壊された。ソ連崩壊後、キリスト教は再び勢いを取り戻し、以前にもまして信仰が燃え盛っているのを、近年ロシアを旅行して目の当たりにした。

　ロシア正教はイコン（聖像画）を重視し、教会内部はどこもキリストや聖母や聖人のイコンで埋め尽くされている。信者たちはイコンの前に蝋燭《ろうそく》を供え、十字を切り、口づけして熱心に祈っている。ロシア人と美術との密接な関係は、こうしたイコンの文化を通じて育まれたものであろう。

　十八世紀以降、首都サンクトペテルブルクから西洋の美術が流入すると、それに影響されてロシア美術は一変したように見える。しかし、十九世紀にはヨーロッパとは一線を画した

5-5《カザンの聖母》サンクトペテルブルク、カザン大聖堂

力強い写実主義を生み出し、二十世紀には世界で初めて抽象絵画を生み出した原動力となっているのは、イコンの伝統であった。レーピンやスリコフら、ロシアの現実や歴史を描いた移動派の巨匠たちも若いころにイコンを描いていた。また、マレーヴィチは一九一五年に初めて自作の抽象絵画を展示した際、イコンの展示を模倣していた。

代表的なイコンは、複製画となってロシアの多くの家庭に飾られている。サンクトペテルブルクの《カザンの聖母》（5-5）と、モスクワの《ウラディーミルの聖母》（5-6）がその双璧である。いずれも奇跡的な力をもつとされ、古来ロシア人を何度も救ってきたと信じられている。《カザンの聖母》は、二十世紀初頭に盗難に遭ったとされるが、サンクトペテルブルクのカザン大聖堂にあるものは本物であると信じられ、今でも篤《あつ》い信仰を集めている。《ウラディーミルの聖母》は、「ロシアの魂」と呼ばれ、世界最高のイコンとされる。十三世紀にコンスタンティノープル大司教から贈られてモスクワ近郊のウラディーミル大聖堂にあったが、十四世紀にモスクワに移され、その加護によってモスクワはティムールやモンゴルの侵攻から救われたという。その後クレムリンのウスペンスキー大聖堂に安置されていたが、ロシア革命後はトレチャコフ美術館に移された。信仰の対象であったものが、宗教色を抜かれてロシア美術史上の名作という価値に固定されたのである。

一九九九年、この画像は美術館の敷地内に離接する教会に移され、本来の信仰の対象として復帰した。その前にはたえまなく信者が来ては口づけし、ひざまずいて熱心に祈っていた。優れたイコンは歴史的な美術作品であるだけでなく、今なお人々の思いを受けいれ、まさに生きているのを感じることができた。

5-6《ウラディーミルの聖母》モスクワ、トレチャコフ美術館

レーピンとロシアのアイデンティティ

国民的巨匠

二〇一八年、モスクワで大規模なレーピン展を見て来た。

ロシアの国民的大画家イリヤ・エフィモヴィッチ・レーピンの名は、年配の方なら《ボルガの船曳き》の画家として記憶しているだろうが、日本での知名度はまだ高くない。私は中学生のころ、本でレーピンの絵を知ってずっとあこがれていたので、念願の対面であった。かつての日本では現在よりもレーピンははるかに有名であったようだ。

モスクワのトレチャコフ美術館の新館で開催された展覧会は、ほとんど知られていなかった個人蔵の作品も含め、各時代の重要な作品がほぼすべてそろっていた（5-7）。サンクトペテルブルクのロシア美術館にある二大名作《ボルガの船曳き》と《ザポロージェ・コサック》も展示されており、生涯にわたるレーピンの画業をたどることができた。ロシア美術館ではレーピンと並び称される移動派の巨匠で、やはり昔から一度は見たかったヴァシリー・

5 - 7　レーピン展会場　モスクワ、トレチャコフ美術館

スリコフの名作も堪能することできた。

レーピンは、保守的なアカデミーから離れ、各地に展覧会を巡回させて大衆に美術を普及させた「移動派」の画家として、もっぱらロシアの現実や民衆の生活を題材にしたが、あくまでもその技法はアカデミックであった。印象派が誕生したころパリに留学したが、それに同化せず、レンブラントやベラスケスなど古典的な巨匠を研究し、その技法を吸収した。歴史画の大画面から身近な友人や家族を描いた小品まで、どの作品を見ても強く印象づけられるのは、この画家の写実技法の確かさである。

ソ連時代、レーピンは社会主義リアリズムの先駆者にして、ツァーリ体制に批判的な目を向け、革命思想に共鳴した画家として祭り上げられていた。スターリンはレーピンの代表作《トルコのスルタンに

５‐８　レーピン《トルコのスルタンに手紙を書くザポロージェ・コサック》1880-91年　サンクトペテルブルク、ロシア美術館

手紙を書くザポロージェ・コサック》（５‐８）を愛好し、現物の半分ほどの大きさの模写を数点作らせ、その一点を一九四一年に面談した日本の外相松岡洋右《ようすけ》に贈呈している。

だが、ソ連崩壊後は、地下に埋もれていたカンディンスキーやシャガールの大作が華々しく海外に紹介される一方で、レーピンやスリコフといった帝政末期の大画家たちの影はやや薄くなってしまったようである。

ソ連崩壊後はじめてとなるこの大展覧会では、人民に寄り添った革命的な画家という面ではなく、ロシアでもっとも人気のある聖人を扱った《無実の死刑囚を救う聖ニコラウス》（５‐９）のようなキリスト教の主題を描き、同時代の皇帝をたたえる大作や肖像も描

5 - 9　レーピン《無実の死刑囚を救う聖ニコラウス》
1888年　サンクトペテルブルク、ロシア美術館

いたこの画家の全貌を浮かび上がらせていた。

　この展覧会はロシアでは大きな話題となり、チケットはすべて日時指定券で一週間後まで予約が埋まっていた。それを知らずに現地に行ってしまい、一週間後に来いと言われてショックをうけたが、年配の職員がどうしても見たいかというので見たいと答えたところ、ちょっと来いと裏庭にある小屋に連れて行かれ、そこで闇チケットを定価の十倍ほどの値段で買うことができた。こういうところが旧社会主義国だと思ったものである。

　現在でも、レーピン人気はいささかも衰えていないどころか、以前よりもスケールの大きな巨匠としてよみがえったかのようである。イデオロギーを離れた目にこそ、彼の絵は力強い普遍性をもって迫ってくるのだろう。

クレムリンにほど近いボロトナヤ広場には、中央にレーピンの銅像（5 - 10）が立っており、この画家がトルストイやチャイコフスキーと並ぶロシア人の誇りであることを実感した。その芸術は、帝政、社会主義、キリスト教と、ロシアを構成する要素をすべて内包しており、ロシアのアイデンティティそのものなのだ。

5 - 10　レーピン像　モスクワ、ボロトナヤ広場

レーピンと並ぶロシアの巨匠スリコフの歴史画

美術の力

レーピンと並び称されるロシアの巨匠ヴァシリー・イヴァノヴィッチ・スリコフは、日本では意外なほど知られていない。彼の作品がほとんど来日したことがないためでもあろう。

シベリア生まれでコサックの血を引く彼は、ロシア十九世紀の「移動派」の代表的な画家である。移動派とは、一八六三年、アカデミーの方針に反発したクラムスコイを中心とする若い美術家たちが「移動展覧会協会」を作り、各地方都市で巡回展を開催して、民衆に芸術を普及させようとした運動のこと。西洋に追従した古典主義から離れ、ロシアの現実に目を向けた歴史や風俗や風景を描いた。スリコフは、ロシアの歴史に材を採った歴史画の大作で名声を博した。

モスクワのトレチャコフ美術館では《銃兵隊処刑の朝》と《大貴族夫人モロゾワ》のある部屋（5-11、次ページ）にはロシア人の観客が集まっては作品の写真を撮っており、ロシア

5-11　モスクワ、トレチャコフ美術館のスリコフ展示　左が《大貴族夫人モロゾワ》1887年

人にはなじみの深い絵であることを思わせた。サンクトペテルブルクのロシア美術館には別の大作《エルマークのシベリア遠征》があり、これらがスリコフの三大傑作といえるだろう。

　彼の大作はいずれも数多くの人物や実物の習作や下絵を重ねて構成したもので、入念に構想されている。近くで見るとそれほど緻密に描写されているわけではないが、少し離れて見ると、広大な空間が見事にとらえられ、その空気までもが感じられる。写実的な描写力はレーピンのほうが上だが、巧みな群像構成やスケール感はレーピンに勝っている。

　一六八二年、ピョートル大帝に反乱した兵士たちが処刑される日の朝を描いた《銃兵隊処刑の朝》(5-12)のまだ薄暗いモスクワの赤の広場、古儀式派の信仰のために逮捕されて橇《そり》で挽《ひ》かれて行く《大貴族夫人モロゾワ》の足跡のついた雪道、《エルマークのシベリア遠征》(5-13)でシベリアのモンゴル人とエルマークの遠征隊の間に広がるオビ河の濁流などは、

（上）5 - 12　スリコフ《銃兵隊処刑の朝》1881年　モスクワ、トレチャコフ美術館
（下）5 - 13　スリコフ《エルマークのシベリア遠征》1895年　サンクトペテルブルク、ロシア美術館

離れて見ると非常に効果的であり、臨場感に満ちている。

移動派はロシア革命の源流である同時期のナロードニキ運動と呼応していたため、ロシア革命後も高く評価され、ソ連の社会主義リアリズムの出発点とされた。平凡社の世界大百科事典第2版には、スリコフは「絵画がブルジョア階級のものであることに疑問を抱いた画家の一人で、支配階級やブルジョアジーに対する反感は、民衆や敗者への共感となり、《銃兵処刑の朝》（1881）や《大貴族夫人モロゾワ》（1887）のような悲劇的な歴史を回顧した大作を生んだ」と、ソ連のイデオロギーに沿った記述がある。

スリコフがモスクワに来たのは、救世主ハリストス大聖堂のフレスコ壁画を描くためであった。この壁画は大聖堂ごとスターリン時代の一九三一年に爆破されてしまった。建物だけは二〇〇〇年に復元されている。前述のレーピンと同じく、移動派の画家たちのキリスト教的な側面は長らく忘れ去られてしまったのである。

スリコフの歴史画の大作は、たしかにロシアの民衆に自国の英雄や敗者の悲劇を生き生きと伝える効果をもっていた。それを可能にしたのは、大画面で展開する説得力ある描写力であった。ソ連が崩壊して社会主義リアリズムから解き放たれたロシアでも、スリコフの大作は人々を惹きつけてやまず、美術の持つ本来の力を感じさせずにはいない。

マカオのキリシタン文化

日本のキリシタンのはかない夢の跡

マカオは香港に近い中国の半島にあり、世界一のカジノの町として知られているが、長らくアジアにおけるポルトガル人の拠点であった。大航海時代の十六世紀半ばから十七世紀初頭にかけて、ゴア、マラッカ、長崎をつなぐ中継地点として大いに繁栄したが、日本の鎖国によって急速に衰退し、十八世紀以降は清朝と貿易するイギリスなど列強の商人が数多く駐留した。

多くの教会とともにカトリック文化が濃厚に残っている。また一六一四年の鎖国時に大量の日本人が追放されたため、日本のキリシタン文化が伝えられた地となった。天正遣欧少年使節は行き帰りに立ち寄って滞在し、この地のイエズス会学院で熱心に学習に励んだ。

一九九九年にポルトガルから中国に返還されて「一国二制度」となったが、中国の影響力が年々強くなっている。ただ、現在も広東語とポルトガル語が公用語とされており、二〇〇五年にはマカオの歴史市街地区が世界遺産に登録された。町中の街路がポルトガル風の模様のある石畳（カルサーダス）で覆われ、世界遺産を構成する三十の史跡はすべて歩いて回ることができ、それぞれに日本語の説明板もあった。ヨーロッパと中国の双方の雰囲気が漂う魅力的な町だ。

マカオのシンボルといえる聖パウロ天主堂（5 - 14）は、かつてアジアでもっとも美しく大きな教会として有名であったが、十九世紀に火災に見舞われ、ファサード（正面部分）のみが残った。マカオの中央の丘に建つこのファサードは堂々としており、どこから見ても壮麗である。

5 - 14　マカオ、聖パウロ天主堂ファサード

この教会は、イタリア人宣教師カルロ・スピノラや画家ジョヴァンニ・コーラが設計し、その弟子の画家ヤコブ丹羽や日本の職人たちが建設したと思われる。一六〇二年に着工し、一六二〇年から二七年に完成された。ファサードは、

マニエリスムからバロックの過渡期に当たるイタリアの同時代の様式を示しており、キリスト、聖母、天使、悪魔、聖人などの彫刻や浮彫で装飾され、全体でキリスト教の世界観を表している。

上から三段目にある青銅の聖母像（5‐15）の周囲の枠には牡丹《ぼたん》と菊の文様が見られ、周囲の奏楽の天使の乗る雲も日本風である。また、その横の聖母像の浮彫など数箇所に漢文が刻まれ、これらは日本人が作ったという有力な根拠となっている。

このファサードの背後には地下納骨堂があり、この地で没した天正遣欧使節の原マルチノや使節派遣を企画した巡察士ヴァリニャーノの遺骨が納められている。

もし日本が禁教や鎖国になっていなかったら、このような壮大な聖堂が国内にも数多く建てられたにちがいない。マカオは、日本のキリシタンのはかない夢の跡を今に伝えてくれるのだ。

5‐15　聖母像 聖パウロ天主堂ファサード部分

長崎の潜伏キリシタンとかくれキリシタン

世界遺産登録の裏で

長崎に点在する教会と美術の調査旅行に参加した。十数年ほど前にも同じ地を訪れたが、そのときよりも案内板や駐車場が整備され、観光客も格段に増えていた。二〇一八年、「長崎と天草地方の潜伏キリシタン関連遺産」が世界遺産に登録されたためである。江戸時代二百五十年間の禁教令下における厳しい弾圧の中、宣教師不在でありながら、信者のみで信仰を守り通したことが評価されたという。

長崎の外海《そとめ》地方と五島列島では、多くの信者がキリスト教信仰をひそかに守ってきた。開国後、再び宣教師が来日し、彼らが発見されたが、キリスト教は一八七三年まで解禁されず、その間に多くの過酷な弾圧と悲劇があった。

上五島の頭ヶ島《かしらがしま》は無人島であったが、明治初年に弾圧を避けてキリシタンが移住して集落を形成した。重要文化財となっている教会（5-16）は、長崎の教会を数多く手がけた鉄川与助の設計で、漁師たちが仕事の合間に石を切り出し、ひとつずつ運んで十年かけて完成させた、日本では希少な石造の教会。内部（5‐17）は船底天井で、五島列島の椿《つばき》を意匠化した花模様によって明るく装飾されている。

「潜伏キリシタン」という聞きなれない言葉は、この世界遺産登録で急にクローズアップさ

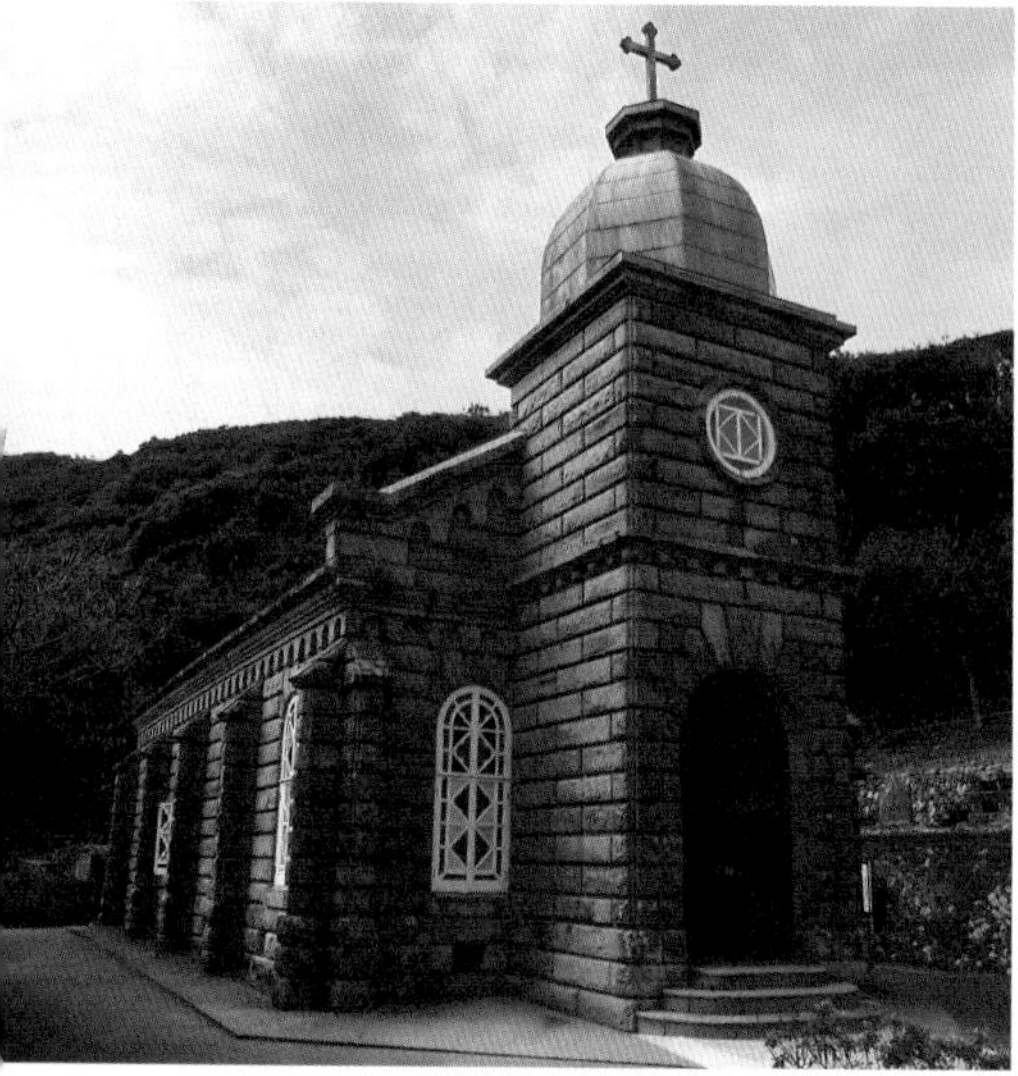

（上）5‐16　頭ヶ島天主堂
（下）5‐17　頭ヶ島天主堂内部

れた。禁教下にひそかに信仰を守り、解禁後、正統なキリスト教に復帰した信徒たちのこと。一方、「かくれキリシタン」とは、同じく信仰を守りながらも、欧米からもたらされたキリスト教に復帰することを拒み、独自の信仰を堅持した信徒のことを指す。両者は禁教下では同一であったが、解禁後の対応によって区別されるのだ。

今回の世界遺産には、後者の「かくれキリシタン」は含まれていない。平戸の生月島《いきつきしま》はかくれキリシタンの中心地であり、今なお多くの信者が独自の信仰を守っている。二百五十年の間にその信仰は土着化して先祖崇拝などと結びつき、キリスト教とはいいがたい宗教になってしまった。彼らは「お掛け絵」とよばれる聖画を飾って拝むが、西洋伝来の図像が、何世代もたつうちにすっかり日本化して独自のものに変容している。

こうした興味深い文化やその遺跡は、世界遺産から排除された。かつて日本で普及したキリスト教が、長らく弾圧されたにもかかわらず、劇的によみがえったという西洋回帰の物語に沿うものだけが選別されたのである。キリスト教から離れてわけのわからぬ土俗宗教になってしまったかくれキリシタンは、こうした物語にとって都合が悪いのだ。

そもそも世界遺産という制度自体が、欧米の価値観に基づく一元的なものにすぎないのである。にわかに観光客でにぎわうようになった長崎の島を巡りながら、複雑な気分になった。

日本のカトリック壁画

「日本には日本の聖母像があって然るべき」

二百五十年の禁教を経てキリスト教が解禁された明治以降の日本では、キリスト教美術もさかんになった。ロシア正教会がもっとも美術に影響し、日本中のハリストス正教会に多くのイコンを描いた山下りんや、第四章で見たように彼女に学んで仏耶習合のユニークな宗教画を生み出した牧島如鳩のような優れたキリスト教画家を生み出した。またプロテスタントは多くの文学者に影響し、荻原守衛や岸田劉生は個人的な信仰表現を模索した。これに対し、西洋の宗教美術を牽引し、日本でも南蛮時代に多くの優れた宗教美術を生み出したカトリック教会は、なぜか近代の日本の美術においてほとんど痕跡を残していない。

そのような中で、日本を代表するカトリック画家は長谷川路可である。松岡映丘に日本画を学んだ路可はフランスに留学してフレスコ技法を学び、戦前からいくつかの教会にフレスコ壁画や聖画を描いた。また、牧島如鳩と同じく、寺院のために仏画を描くこともあった。

5 - 18　長谷川路可《聖母子》1951-54年　チヴィタヴェッキア、日本聖殉教者記念聖堂

一九五一年から五四年にかけて、ローマ北西の港町チヴィタヴェッキアの日本聖殉教者記念聖堂に、長崎二十六聖人殉教図などの壁画を描いた。

この聖堂は一八六二年にピウス九世によって日本の二十六人の殉教者が列聖されたことを記念し、支倉《はせくら》常長一行が上陸した町に建てられたフランシスコ会の聖堂である。

殉教場面の上のアプスには鮮やかな青の地に、ザビエルと聖フランチェスコに囲まれた聖母子の立像（5-18）が描かれた。聖母は桃山時代の正装に身を包み、幼児キリストは右手で天を指し、左手で白い鳩を抱えている。聖母像の本場イタリアの教会に描かれたものでありながら、路可はあえて日本風の聖母を表現したのである。

京都の日本画家、堂本印象は、一九六三年に大阪

5 - 19　堂本印象《栄光の聖母マリア》1963年　カトリック玉造教会内部

のカトリック玉造教会の内部に巨大な《栄光の聖母マリア》の壁画（5 - 19）を制作した。和服を着た聖母子の左右には小さく高山右近と細川ガラシャが祈っている姿がある。この教会のある地は、キリシタンであった細川ガラシャが壮絶な最期をとげた場所にあたり、教会横にはその碑も建っている。教会内にも、戦火の迫る屋敷で祈るガラシャと、流罪に赴く高山右近を描いた絵が内陣の左右に飾られている。

堂本は聖母像の依頼を受けてから二度渡欧し、多くの教会で聖母像を観察してきた結果、「日本には日本の聖母像があって然《しか》るべきだ」と思いいたり、日本にキリスト教の伝来した桃山時代の設定にしたという。彼はこの制作によって教皇ヨハネ二十三世から聖シルベストロ教皇騎士団勲章を授与された。

この教会は、大阪や神戸に名建築を多く遺した建築家長谷部鋭吉の遺作であり、内部は堂本印象の壁画のほか、羽淵紅州によるステンドグラス、オーストリアの彫刻家ルンガルチェによる磔刑像などを備え、日本には稀有な総合芸術的な空間となっている。

平面的で陰影のない日本画は、西洋中世のイコンに通じる様式であった。長谷川路可も堂本印象も、桃山時代の日本の衣装をつけた聖母を日本画の様式で描くことによって、西洋の模倣ではなく、日本の文化や伝統を生かしたユニークな聖画像を創造したのである。

広島と長崎　原爆と母子像

賛否で分かれた二つのモニュメント

広島の平和記念公園の南端には、本郷新の《嵐の中の母子像》（5-20）が建っている。右手で乳飲み子を胸に抱え、左手でもう一人の幼児を背負おうとする母親は、嵐の中を身をかがめて必死で歩いているようだ。

一九五九年、広島で第五回原水爆禁止世界大会が開かれたのを機に、翌年原水爆禁止協議会が広島市にこの彫刻の石膏像を贈り、広島婦人会連合会が平和記念公園に設置するための募金活動をしてブロンズに鋳造し、一九六〇年にここに設置された。

嵐は原爆の爆風を思わせ、その中で子どもを守ろう

5-20　本郷新《嵐の中の母子像》1960年
広島、平和記念公園

とする母親の姿から、核兵器に反対し、平和を希求するメッセージを読むことができるが、当初からそのように意図されたわけではなかった。

本郷新は戦後まもなく欧州に旅行して多くの聖母像を目にし、帰国後、戦後日本の新しい母子像を求めて制作したのがこの像であった。それが広島の平和記念公園に設置されたことで、反核や平和という文脈が与えられ、力強く雄弁なモニュメントとなったのである。

おそらくこの像の影響であろう、これ以降、全国に戦争犠牲者を追悼する母子像が次々に建てられることになった。

一九九六年、被爆五十周年記念事業として、長崎の平和公園に北村西望の《平和祈念像》と対をなすように、富永直樹による《母子像》(5 - 21)を設置すると長崎市長が発表した。富永は北村の高弟で日展の重鎮であった彫刻家。しかし、平和公園の中央にある「原子爆弾落下中心地碑」を撤去してその場所に建てようとしていたことや、キリスト教のピエタを思わせる母子像は政教分離に反するという意見などから、市民団体や被爆者団体から大きな反対運動が起こった。隣接するカトリック浦上教会までもが、「マリアに似た偶像」は自分たちへの侮辱であると反対した。

結局この母子像は公園の片隅に設置された。それに要した公費返還を求める裁判となったが、二〇〇七年、被告の伊藤一長前市長が狙撃されて死去。原告の訴えは退けられ、控訴も棄却された。

広島では好意的に受け取られた母子像が、長崎で大きな反対にあったのはなぜだろうか。前者は市民団体が贈ったものであったのに対し、後者は行政が一方的に推進したことが大きいだろう。さらに、長崎という古来キリスト教色の強い地では、非宗教的な母子像というものが信者からも非信者からも受け入れられなかったという要因もあるだろう。

長崎の母子像では、抱かれた幼児は片手を垂らしており、死んでいるように見える。キリスト教の聖母マリアのようだが、死んだ幼児キリストを抱いている図像はありえないため、どっちつかずの中途半端な印象を与える。

5 - 21　富永直樹《母子像》1997年
長崎、平和公園

広島と長崎。二つの爆心地に行くことがあれば、これら追悼の母子像を見逃さないようにしたい。

あいちトリエンナーレ2019の慰安婦像

美術作品は文脈によって意味が与えられる

二〇一九年八月一日に始まった、国際芸術祭あいちトリエンナーレ2019の企画のひとつ「表現の不自由展・その後」で《平和の少女像》として展示された慰安婦像（5-22）が、多方面から激しい非難や抗議を受けて、たった三日間展示されただけで企画展が中止された。こうなることを危惧していたため、早めに見に行かなくてはと思っていた矢先であった。

慰安婦像は周知のように日韓両国の争点になってきた。慰安婦問題についてここで立ち入るつもりはないが、私は美術史的な観点から、この小さな像が慰安婦問題の象徴となっていることに興味を覚えていた。キム・ウンソンとキム・ソギョンの彫刻家夫婦によるこの像は一見、なんの変哲もないチマチョゴリの少女の座像にすぎないのだが、二〇一一年、慰安婦問題を告発する記念碑としてソウルの日本大使館の前に置かれて以来、外国にも増殖してそのたびに物議をかもしてきた。

5 - 22　あいちトリエンナーレ 2019 の展示風景「表現の不自由展・その後」
キム・ソギョン／キム・ウンソン《平和の少女像》2011 年
提供：あいちトリエンナーレ実行委員会事務局

あらゆる美術作品は、作品を取り巻く文脈によって意味を与えられる。ルーヴル美術館に展示された彫刻は美の殿堂に鎮座する美術史上の名作として、街角に置かれたヌード彫刻は都市に美術を普及させようとした行政の勘違いの例として。こうした文脈を抜きにして美術作品を評価することは困難である。

今回の企画者も、この像を純粋な芸術作品として展示しようとしたわけでは決してない。一度は「公《おおやけ》」に展示されようとしたものの許可されなかったものや撤去されたものを二十点ほど集めて、「表現の不自由」について考えさせるという意図であったらしい。政治と検閲、表現とタブーといった美術にとって普遍的な問題を提起するものであり、それ自体はきわめて意義深いテーマだ。

しかし、そのようなことはほとんど周知されないまま、慰安婦像の展示ばかりが話題となってしまった。今回のように大々的に喧伝された美術の祭典に来る日本の一般客の多くは、非日常の美の世界に触れることを期待したであろうが、生々しい政治の現場に直面させられた気がして戸惑ったにちがいない。まして、日韓関係がかつてないほど緊張しているこの時期に慰安婦像を展示すれば、展示の文脈を認識する以前に、多くの日本人の神経を逆なでするのはあきらかであった。公共の国際芸術祭というこの晴れの舞台自体が、先鋭的な問題意識と相容《あいい》れなかったといえよう。

ただ、問題の像を会場で政治的な先入観なしに客観的に見れば、この像自体には何らの意味も造形的な強さもない凡庸な像にすぎないことがわかるはずだ。そして、そんな像でも文脈や設置場所次第で大きな力や火種になりうるということから、美術や造形の意味や役割について考える絶好の機会になったであろう。そう思うと、やはり中止は残念であり、展示を見たかったと思うのである。

現代最高の巨匠　ゲルハルト・リヒターの芸術

「資本主義リアリズム」

二〇二〇年、ドイツで東西統一三十年が祝われた。多くのドイツ人が統一を成功だったとしているが、半数の国民は今も社会の溝を感じているという。そのころ公開されたヘンケル・フォン・ドナースマルク監督の映画「ある画家の数奇な運命」（5-23、次ページ）はそんなことも考えさせられた。

ゲルハルト・リヒターは、現存する最高の巨匠であり、世界中で広く人気を集めている。その作品は具象から抽象、そして立体作品まで様々だが、もっぱら写真を手描きでカンヴァスに写す「フォトペインティング」で知られる（5-24、同）。この映画はリヒターの半生を主題にしており、三時間以上の大作だが、今まで数多《あまた》あった画家映画の中でも出色であった。この画家は寡黙なことで知られるが、監督が本人にじっくりインタビューし、事実に近い内容だと思われる。

5 - 23　映画「ある画家の数奇な運命」2021/2/1 配信　発売元・販売元：キノフィルムズ／木下グループ

5 - 24　ケルンのルートヴィヒ美術館のリヒター作品の展示。右が映画にも登場する代表作《階段を下りる裸婦》（1966 年）

一九三二年に生まれたリヒターは旧東ドイツのドレスデンで美術を学び、ベルリンの壁ができる直前に西ドイツに亡命。ヨーゼフ・ボイスの指導するデュッセルドルフのアカデミーで最先端の現代美術を学ぶ。

ボイスといえば、最近、その経歴の多くが虚偽であったことがあきらかになり、話題を呼んだ。第二次世界大戦中、彼は操縦していた戦闘機がクリミア半島の草原に墜落し、タタール人に脂肪とフェルトで看病されたことから、この両者を素材として用いたと繰り返し語っていたが、そのような体験はなかったらしい。また、「緑の党」の創設にも関わり、過激な左翼運動の闘士と目されていたが、彼の友人やパトロンにはナチスの残党が多くいたことも暴露された。もっともボイスという美術家は、もとより既成の概念を攪乱させるトリックスター的なパフォーマーとして大きな影響を与えた存在であったため、その経歴が虚偽であっても、彼の果たした役割や作品の価値はさして変わらないと思う。

そのボイスの影響の下、リヒターはやがて写真を油彩でぼかして写すフォトペインティングを試み、それによって知られるようになった。リヒターはそれらを「資本主義リアリズム」と称し、資本主義社会の現実をアイロニカルにとらえようとした。その後、抽象絵画や立体作品も多く制作しているが、映画ではデビューまでを扱っている。

リヒターにとって真実とは

映画では、幼少時の主人公に影響を与えた叔母は、統合失調症とされてナチスの政策で安楽死させられた。彼は事情を知らずにその責任者の医師の娘と結婚。映画はそれによる画家夫妻の葛藤を中心に展開する。

リヒターは当初、共産主義に寄与するための社会主義リアリズムの壁画でそれなりの地位を築いた。東ドイツでは、誰にでも理解できる公共的な絵画が称賛され、西側のモダンアートは自分を押し出しすぎて退廃的だと教えられる。これはナチスと同じ考えであり、映画の冒頭で主人公が叔母とともにナチス政権下の「退廃芸術展」を見るシーンがある。彼は、自我や自由を抑圧するこうした体制に疑問を抱くようになり、自由な西ドイツに移ったのである。

しかし、西側では逆に個性や自由を重視するあまり、新規さだけを求める中身のない前衛主義が横行していた。試行錯誤の末に彼がたどり着いたのは、新聞の一面や素人の写真を忠実に手描きで写してぼかした油彩画であった。それぞれの記事や写真には個人的な思い入れがあっても、あえてそれをあかさずに作品として提示する。それによって、彼を取り巻く世界の真実の一端を作品化したのである。

「真実はすべて美しい」という叔母の言葉が出てくるが、東ドイツのように自分を犠牲にしてイデオロギーに奉仕するだけのものも、西ドイツのように自我や個性ばかりを追求するものも、彼にとっての真実ではなかった。映画の原題は「作者なき作品」だが、作者が表に出すぎるのも真実の芸術ではないのだ。

映画に登場する数々のすばらしい作品（原作とは少しちがう）の制作シーンは、実際にリヒターの助手を務めていた画家によるものだというが、それだけでも見る価値のある意義深い映画であった。

ナチス美術の闇

「退廃芸術展」と「大ドイツ美術展」

ナチスと美術とは深い関係にある。美術を愛したヒトラーやゲッベルスといったナチス幹部は膨大な美術作品を各地から強引に収集した。多くが返還されたとはいえ、現在もなお所有権をめぐる問題を残している。

一方、ナチスが「退廃芸術展」を開催し、前衛美術を迫害したこともよく知られている。ところが、それと並行して「大ドイツ美術展」を開催して、保守的なドイツ美術を大々的に称揚したことはあまり知られていない。一九三七年から四四年まで開催され、毎回千点以上の作品が展示された大規模な展覧会であった。しかし、戦後ナチスの戦争犯罪と同一視されてタブー視され、その実態のほとんどはあきらかになっていない。公的に買い上げられたものも多いため、ドイツの多くの美術館には、地下倉庫に膨大な作品が今なお未整理のまま死蔵されているという。

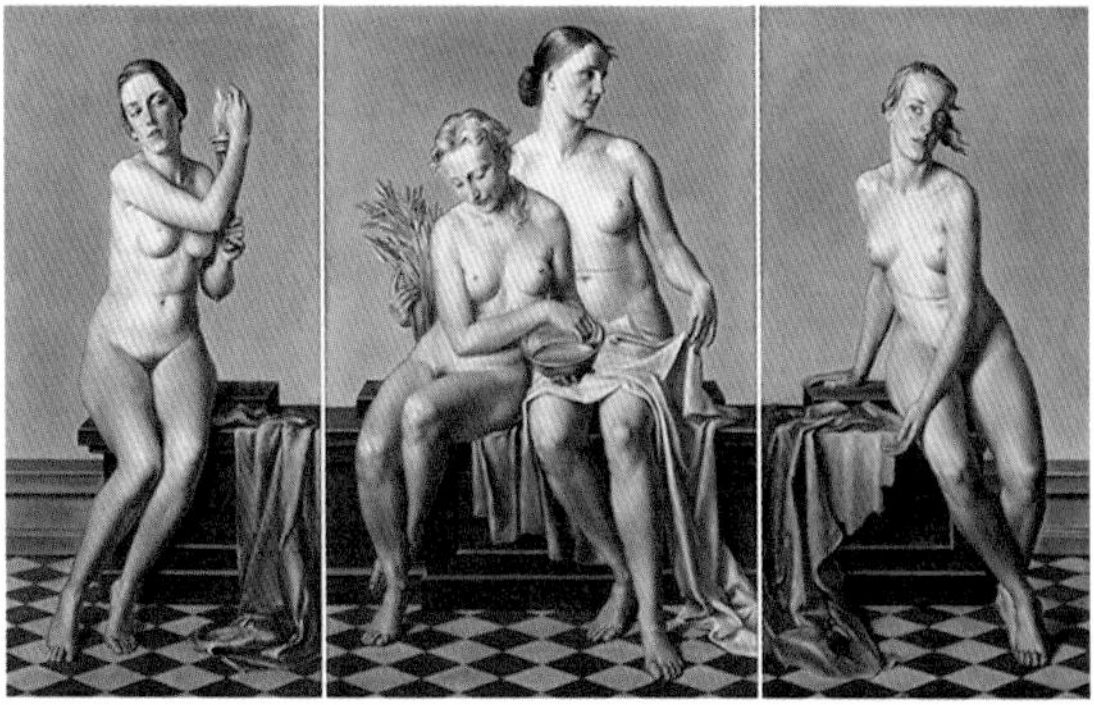

5‐25　アドルフ・ツィーグラー《四大元素》1937年　ミュンヘン、近代美術館

弾圧された「退廃芸術展」に出品された美術は、高く評価され、ドイツ二十世紀の正統とも目されているが、「大ドイツ美術展」の方は、ナチスの誤まてる基準によって制作された陳腐なものと片づけられ、その実態はいまだ謎に包まれている。

二〇二一年に出版された前田良三『ナチス絵画の謎』（みすず書房）は、この大ドイツ美術展と、その中心となったヒトラーの御用画家アドルフ・ツィーグラーを扱った初めての書である。ナチスが推進した大ドイツ美術とは、保守と前衛、アカデミーと在野、技術とアイデア、ドイツとフランス、ミュンヘンとベルリン、大衆と個人といった二項対立の前者に重点を置き、実体も理念も空疎でありながら、大衆の欲望をすくいあげて美術を政治に取り込む手段であったことがあきらかにされる。そしてその成立過程を十九世紀のドイツ画壇に遡って検討し、大ドイツ美術が歴史の必然として登場したことも示された。

第一回大ドイツ美術展に出品され、今も例外的にミュンヘンの近代美術館という公共の美術館で見ることのできるツィーグラーの代表作《四大元素》(5-25、前ページ)は、四人の女性ヌードによる擬人像だが、この作品を詳しく分析し、そこに漂う違和感は「生物的なものと政治的なものの結合」に由来するとする。この画家の凡庸さと小心さは、小役人として淡々と大虐殺を実行したアイヒマンの「陳腐なる悪」を想起させずにはいない。

ヒトラーの御用彫刻家の回想録

ヒトラーの御用彫刻家として知られるアルノ・ブレーカーの回想録は邦訳されている(『パリとヒトラーと私』高橋洋一訳、中央公論新社)。彼はヒトラーに気に入られ、第三帝国の官邸などを飾る巨大な記念碑を数多く制作した。しかし、長年パリに暮らし、モンパルナスで狂乱の一九二〇年代を謳歌した彼はきわめてリベラルな考えをもっていた。「退廃芸術展」の開催を阻止しようとし、ドイツ軍のパリ占領中は、捕虜となった芸術家を助け出すのに奔走する。彼はヒトラーに取り入った政治的な人物というより、人と芸術を愛してやまない純粋な人物であったように思われる。彼にとって、ヒトラーは芸術の目ききであり、壮大な都市計画を構想した偉大な政治家であった。

しかしブレーカーは戦後、作品の大半を破壊されて公的な活動を禁じられ、彼と親しかったフランス人たちは対独協力者の嫌疑をかけられた。占領下のパリの美術館で大規模な個展を開催したことが、大きな恨みを買っていたようである。以前、彼のおかげで命拾いした友人の多くが彼を裏切り、ジャン・コクトーのような例外もいたが、冷淡な態度をとったことが悲しく綴《つづ》られている。

この本からは、ナチスの暴虐さよりも、戦後のナチス協力者への断罪の苛烈さや不条理さが浮かび上がる。ブレーカーは戦後、アメリカ陸軍情報部に呼び出され、「ヒトラーの栄光に貢献したこと」を公的に懺悔《ざんげ》したほうがよいと助言されるが、自分は彫刻家として与えられた責務に没頭したにすぎないとこれを拒絶する。

芸術家の戦争責任という問題は、太平洋戦争中、戦争記録画や軍事記念碑を制作した多くの日本の美術家にもあてはまり、容易に帰趨がつかない。しかし、ブレーカーのいうように、美術家は大きな舞台が与えられれば嬉々として仕事するのが当然である。それを非難するのは、ドイツでも日本でも、つねに後付けの倫理観、そして凡庸な同業者の嫉妬心からであった。美術というものは、戦争の暴力だけでなく、人間の醜さによっても歪《ゆが》められてしまうということを考えさせられた。

美術史の課題

「大ドイツ美術展」では農村風景やヌードとともに、健全な母子像が人気を博した。たとえば、一九三八年の大ドイツ美術展で最高賞を受賞したカール・ディービッチュの《母》（5-26）は、絵葉書となって大量に流通している。こうした母子像は、カトリックのミュンヘンならではの聖母像の代替物であったと見てよいだろう。

ナチスの戦争画については、拙著『美術の誘惑』（光文社新書）や『そのとき、西洋では』（小学館）に書いたことがあるが、同時代の日本に紹介され、日本の戦争記録画に大きな影響を及ぼした。その中には、ドイツのフジタともよぶべきフランツ・アイヒホルストのように、厭戦的な作品を描いた画家もいて注目に値する。日本の戦争記録画も、少し前までタブー視されて秘匿されてきたが、近年は東京国立近代美術館の常設展示でも展示されるようになり、研究も大いに進展した。それに対し、ナチスの戦争画はまだほとんどわかっていないのは寂しいかぎりだ。

また、大ドイツ美術はナチスとともに途絶えたのでなく、戦後の東ドイツ美術にそのまま継続しており、ソ連や中国の社会主義リアリズムもその延長線上にある。社会主義リアリズムはモダニズムとともに二十世紀の二大潮流のひとつとなったが、その淵源にあるのがナチス美術なのだ。こうした系譜も今後あきらかにされるべきだろう。

5‐26　カール・ディービッチュ《母》1938年　所在不明

このように、美術史的にはまだ考えるべき問題が多く残っている。ナチス絵画を十把《じっぱ》一絡《ひとから》げに否定したり、タブーとして隠したりするのではなく、個々の作品や美術家についての実態があきらかになれば、そして東ドイツ美術を歴史的にとらえられることになれば、退廃美術に始まるモダニズム一辺倒のドイツの二十世紀美術史は書き換えられねばならなくなると思う。

第六章

死と鎮魂

肖像画と死

美術はなぜ生まれたのか

二〇一六〜一九年に国立新美術館と大阪市立美術館で「ルーヴル美術館展」が開催された。世界最大の美術館といってよいパリのルーヴル美術館の名品展は今まで何度も開かれてきたが、誰もが知る名作が来ることはほとんどなく、このときは肖像芸術というテーマによる展覧会となっていた。古代エジプトから近代にかけて、絵画も彫刻も含めた多様な肖像芸術を見比べるよい機会となった。

山水や花鳥を重視した東洋とちがって、西洋美術は人物像がつねに中心となってきたが、特定の人物を表現する肖像芸術の歴史も非常に古かった。人は写真が発明されるはるか以前から、記録や記念、あるいは権力の誇示のために、自分や家族の姿を残そうとしてきたのである。

古代ローマの博物学者で政治家のプリニウスは、「絵画の起源」についてロマンチックな話を伝えている。曰《いわ》く、絵画の起源はコリントスの町シキュオンで、恋人を残して島を出る男性の影を女性がなぞったものである。そして彼女の父親は陶器職人で、描いた影を壺に焼き付け、神殿に奉納した。これがすなわち絵画の発祥である、と。

このエピソードはまた、男性が戦争に出兵して命を落としたことを暗示している。つまり「死」と「美術」は根源から結びついているのである。これが本当に最初の絵画であったとは思われないが、親しい者の似姿をとどめたいという欲求は、まちがいなく美術というものを生み出した大きな動機である。そしてそれは、目の前の人間の記録というより、もう会えないという不在を埋め合わせるために生み出されたものであった。

紀元前五二〇年ごろ制作されたクーロスとよばれるギリシャの青年の直立不動像は、墓碑だったという説がある。当時、壮年の男性が死ぬと似姿を墓に象《かたど》る習慣があったという。彫像は宗教的儀礼の一つだったといえるだろう。このように、美術が生まれる契機の一つには死と宗教が深く関わっていた。

肖像画や肖像彫刻はもっぱら誰かが亡くなったときに、記念や追悼のために制作されるものであった。墓碑や墓廟彫刻の多くも、故人の姿をとどめるものである。生前に肖像を作らせることができたのは、王族などごく限られた階層にすぎなかった。

遺体をそのままの状態で保存しようとするミイラの慣習も、こうした需要と関係する。ローマ帝国の写実主義の影響を受けたエジプトのミイラ肖像画（6‐1）は、遺体の顔の部分にはりつけ、生前の姿を長くとどめようとするものであった。本展の出品作は、若くして亡くなったであろう女性の生き生きとした表情が見事にとらえられている。

「ルーヴル美術館展」で目を引いた《パンジーの婦人》（6‐2）という作品は、女性の半身像とともに「見えなくとも私は覚えている」と書かれた巻物が描かれ、背景には「思慕」を表すパンジーが散らされている。妻を失った夫が描かせたものであることはほぼまちがいないだろう。この板絵は作者も制作地も不明だが、亡き妻への哀惜の念が伝わってくる。

肖像という芸術を成り立たせてきたのは、単なる記録や、ましてや美の追求などではない。身近な者を失った者のどうしようもない喪失感が切実に求めたものであり、それによって制作された遺影がこうした悲嘆を少なからず癒してきたのである。

（上）6-1《女性の肖像》2世紀後半　エジプト、テーベ出土
（下）6-2　フランスの画家?《パンジーの婦人》15世紀

病魔退散の神

人間の本能の希求

二〇二〇年から二一年にかけて新型コロナウイルス感染症が蔓延し、一向に止む気配がない。このようなとき、昔の人々は神仏の力に頼り、病魔退散を願ってその画像を掲示したものである。

西洋では中世以来、何度もペストが襲って多くの命を奪ってきた。ペストは神が懲罰のために放った矢だとされ、怒れる神に人々をとりなしてくれる聖母や聖セバスティアヌスや聖ロクスといった疫病の守護聖人に信仰が集まった。

聖セバスティアヌスは三世紀のローマの軍人で、矢で射抜かれて処刑されても死ななかったことから、ペストの守護聖人となった。ペストは天から降る矢にたとえられたからである。もう一人の守護聖人の聖ロクスは、十四世紀、フランスからローマに巡礼に来てペストに感染したが、回復して患者の救済に尽くした。彼は多くの場合、腿にあるペストの感染跡を示している。

それとともに、ペストを退治する大天使ミカエルが人気を博した。この天使は、六世紀にローマでのペスト流行が終息したとき、サンタンジェロ城の頂上に現れ、剣を鞘《さや》に収めた姿を教皇グレゴリウスが見た、と『黄金伝説』で伝えられたことから、病魔退散のシンボルとして信仰されたのである。

ミカエルを描いた絵でもっとも有名なのは、グイド・レーニによるもの（6-3）で、骸

6-3　グイド・レーニ《大天使ミカエル》1630-35年　ローマ、サンタ・マリア・デラ・コンチェツィオーネ聖堂

骨寺ともよばれるローマのサンタ・マリア・デラ・コンチェツィオーネ聖堂に飾られている。一六三〇年にローマをペストが襲った際に注文され、悪鬼を退治する大天使を画面いっぱいに描いている。レーニは、当時やはりペストが流行っていたボローニャにおり、市当局の注文に応じて、聖母や聖人たちが勢ぞろいした巨大な幟旗《のぼりばた》も描いている。

レーニの《大天使ミカエル》は以後、無数に模写されて版画化され、西洋や中南米の膨大な教会に展示され、複製画となって家庭に飾られてきた。そのバリエーションの一点は、十七世紀におそらくマカオの日本人の絵師によって描かれ、同地に伝えられている。

一方、東洋の病魔退散の神といえば、鍾馗《しょうき》が名高い。中国の道教系の神で、もともとはマラリアにかかった唐の玄宗皇帝が、鬼を退治する人物を夢に見て、それを画家の呉道玄に描かせたのがはじまりだと伝えられている。

鍾馗は早くから日本に伝わり、もっとも古い作例は国宝《辟邪絵》(6-4)のうちに見られる。これは、十二世紀、後白河法皇が蓮華王院宝蔵に集めて収蔵した絵巻のひとつで、《地獄草紙》や《餓鬼草紙》と同系統の作品とされる。鍾馗のほか、天刑星、毘沙門天、神虫など、疫鬼を退治する善神たちを順に描いている。小鬼の口を裂こうとしている鍾馗の衣は風に翻っているが、こうした表現を得意としたという呉道玄の様式が意識されているので

6-4 《辟邪絵　鍾馗》12世紀　奈良国立博物館

あろう。

室町時代以降、鍾馗は画題として人気を博し、江戸時代にその信仰は民間に広く普及した。浮世絵のほか、病除けの色とされた赤で描いた鍾馗の絵が家庭に飾られた。京都などでは、小さな鍾馗の像を屋根に置く習慣も見られる。

こうした強い神は、医療ばかりに頼る現代には顧みられなくなったが、なすすべもなく病魔に翻弄された時代の人間が本能的に希求したものであった。

疫病と聖母

中世の繁栄を襲ったペスト

二〇二〇年四月十二日、フランシスコ教皇が、ヴァチカンのサン・ピエトロ大聖堂で復活祭のミサをあげ、新型コロナウイルスと戦う世界的な連帯を全世界に呼びかけた（6-5）。この様子はネットで世界中に配信されたが、このとき教皇の傍らに大きな聖母のイコン（聖像画）が掲げられていたのが印象的であった。

《サルス・ポプリ・ロマーニ（ローマ民衆の救い）》（6-6）という名を持つこの絵は、ローマの古刹サンタ・マリア・マッジョーレ聖堂に伝えられたイコンである。六世紀にペストが蔓延したときの復活祭で、教皇グレゴリウス一世がこれを奉じて町を歩いたが、それによって流行が沈静化したという。何度も模写され、その一つは南蛮時代の日本にもたらされて、現在東京国立博物館にある。

古来、たびたび起こっては社会に打撃を与えた疫病（感染症）は、近代以前は有効な対策

（上）6 - 5　復活祭のミサをあげるフランシスコ教皇
（下）6 - 6《サルス・ポプリ・ロマーニ》6世紀？　ローマ、サンタ・マリア・マッジョーレ聖堂

がなく、人々はひたすらこの災いが過ぎ去るのを神仏に祈るしかなかった。中でもペストは黒死病と呼ばれて恐れられ、一三四八年に半年も続いたペストは史上最悪の被害をもたらした。今回と同じく東洋からもたらされてヨーロッパ全域に広がり、その人口の約三分の一を奪った。中世の繁栄を謳歌していた西欧は食糧危機に見舞われ、銀行が次々に破綻し、それまで美術の中心地であったフィレンツェやシエナやヴェネツィアも都市の機能を停止し、人口は半分近くに激減した。有力な注文者だけでなく、優れた芸術家も相次いで命を落とし、文化を一時的に衰退させた。

そのようなとき熱心に信仰された聖母は、人間を神にとりなしてくれ、困難や危急のときにもっとも頼りになる存在であった。聖母イコンは宗教行列に掲示され、熱心に崇敬された。ローマのほかにも、コンスタンティノープル、フィレンツェ、ヴェネツィア、バーゼルなどでは、聖母のおかげでペスト禍が止んだという伝承がある。

ペスト・イタリア・美術

十四世紀のペストほどの規模でないにせよ、十七世紀のバロック時代にもペストが流行し、各地に深い傷跡を残した。とくに一六二九年から三一年のイタリアのペストは、ミラノを中心とするイタリア北部から中央部にかけて猛威を振るって百万人の命を奪い、イタリア経済の低下を進めることになった。『神曲』と並ぶイタリア文学の古典であるマンゾーニの『いいなづけ』は、このときのミラノが舞台となっている。また、このときのペストは、関連する美術作品を数多く生み出すことになった。

ヴェネツィア

ヴェネツィアは十六世紀に政治経済的な凋落の傾向が始まったにもかかわらず、文化の絶頂期に達した。一五七五年にペストが襲い、巨匠ティツィアーノのほか、ヴェネツィアの人口の三分の一を奪った。このペストからの解放を記念して、アンドレア・パラーディオによってレデントーレ聖堂が建設され、九二年に完成した。以後、七月の第三日曜日に「レデントーレの祭り」が行われるようになった。広いジュデッカ運河にこの聖堂までの船による橋が架けられ、盛大な祝祭が行われる。

その後、ヴェネツィアはすべてが衰退していくが、一六三〇年のペストは五万人近い人口を奪った。ペスト終息後、これを記念して元老院が「健康の聖母（サンタ・マリア・デラ・サ

6-7　ロンゲーナ　サンタ・マリア・デラ・サルーテ聖堂　1630-87年

ルーテ)」に捧げる教会を作ることになり、バルダッサーレ・ロンゲーナ(一五九八〜一六八二)によって八七年に完成した(6-7)。この記念碑的な建造物は、ヴェネツィアにおけるバロックの幕開けを告げるものとなった。聖堂の外観は聖母の被る王冠を表しているというが、青空に映える純白のこの聖堂は、まさに戴冠する玉座の聖母のような華麗な姿をしている。以後、毎年十一月二十一日、船を並べた橋が大運河に架けられ、元首が行列をなして訪問したが、この習慣が市民にも広がり、「サルーテの祭り」として市民たちが参詣して無病息災を祈願するようになった。

ローマ

同じペストでローマも打撃を受けたが、そこで制作していたフランス人画家ニコラ・プッサン(一五九四〜一六六五)は、大作《アシドドのペスト》(6-8)を描いた。これは、旧約聖書サムエル記に記されたペリシテ人の町のペストにローマの同時代の惨状を重ねた歴史画で、聖母や聖人にペスト終息を願う奉納画とはかなり異なっている。シーラ・バーカーによれば、当時、こういう絵を見ることによって、ペストの悲惨なイメージを見て精神を鍛え、カタルシスを得ることがペスト予防になると信じられていたという。

6 - 8　プッサン《アシドドのペスト》1631 年頃　パリ、ルーヴル美術館

一八九四年に北里柴三郎らによってペスト菌が発見されるまで、ペストはネズミについたノミが媒介することは知られていなかったが、プッサンは画中のあちこちにネズミを描き込んでいる。旧約聖書の原典や現在の版にはネズミは出てこないが、ラテン語訳にはネズミが町で大発生したと記されているためである。しかし、十四世紀以来、人々はこの病気とネズミとの関係を経験的に知っていたため、その知見を取り入れたとも考えられる。

ローマでは一六五六年にもペストが流行したが、プ

6・9　プッサン《聖フランチェスカ・ロマーナの幻視》1657年　パリ、ルーヴル美術館

ッサンはこのとき、ジュリオ・ロスピリオージ枢機卿の注文でペスト終息を感謝する奉納画として《聖フランチェスカ・ロマーナの幻視》（6・9）を描いた。ペストは天から降る矢だと思われたが、雲に乗った聖母が折れた矢を持ち、ペストは天使によって右端に追いやられている。その後、プッサンは自画像を描いたが、微笑んだ画家の背後には墓碑のようなものが見える。これは、日常的に死を思うことによって、よき死を迎えることができると考えられたためだという。ドレスデンにあるこの自画像は二〇二〇年、大阪市立美術館や東京の富士美術館で開催された「フランス絵画の精華」展に展示された。

ナポリ

ナポリも一六五六年から翌年にかけて大規模なペストに襲われた。ギリシャの殖民都市以来の古い歴史をもち、ヨーロッパでもっとも大きく活発な都市であったナポリは、スペイン副王の指導のもとに十六世紀後半から大規模な建設事業が起こった。十七世紀初頭に二度にわたってカラヴァッジョが滞在して革新的な大作の数々を残したことが地元の画家たちを刺激し、ナポリ派とよばれる新たな写実主義を勃興させた。十七世紀にはヨーロッパ最大の人口を誇り、地中海貿易の要港として街は活気に溢《あふ》れていたが、一方、スペインの圧政に抗して、マサニエッロの乱をはじめ、しばしば民衆が暴動を起こしており、また噴火や地震、疫病の流行が定期的に起こっては惨状をもたらした。ナポリ派の画家たちは大都市のこうした栄光と悲惨、貧富の差といった明暗を画面に反映させたのである。

一六五六年のペストは人口の半分に当たる十五万人の命を奪い、十七世紀ナポリの黄金時代を終わらせることになった。この後、ナポリは以前の人口を回復するのに二世紀を要したという。ベルナルド・カヴァリーノやマッシモ・スタンツィオーネといった有力な画家たちもこのとき命を落とした。

ナポリ政府はマッティア・プレーティに大きなペストの奉納画（エクス・ヴォート）を描くよう依頼し、彼は七つのナポリの城門にフレスコで聖母像を描く（6‐10、次ページ）。多くは風雨に晒《さら》されて間もなく破損してしまったが、サン・ジェンナーロ門に唯一残っており、

6 - 10　マッティア・プレーティ《ペスト奉納画》ナポリ、サン・ジェンナーロ門

今も見ることができる。カルミネ門とスピリト・サント門のフレスコのための下絵はカポディモンテ美術館に残っている。それを見ると、画面下部にはペストの犠牲者が片づけられようとしており、上部には聖フランシスコ・ザビエルと聖ロザリアが無原罪の聖母にとりなしており、ザビエルの背後にはナポリの守護聖人聖ヤヌアリウス（ジェンナーロ）がいる。

政府はこの注文と同時に、ナポリにいたフランス人版画家ニコラ・ペレに同じ主題の版画の制作を依頼し、民衆に配布した。そこでは、ペストの犠牲者や宗教行列のあるナポリの風景の上に無原罪の聖母がおり、それを見上げて聖人たちが祈っている。ジェームズ・クリフトンの研究によれば、当時ペストは人間の原罪の延長にあるものとされ、無原罪の聖母は、ペストを防ぐことができると思われた。城門に掲げられた無原罪の聖母は、ペスト禍の侵入を防いでくれる護符の役割を果たしたのである。ペレの版画も人々が自宅の戸口に貼り付けたと思われる。

ナポリのペストが終息したとき、スペイン副王（ナポリ総督）のペニャランダ公ガスパル・デ・ブラカモンテの命で、建築家フランチェスコ・アントニオ・ピッキアッティがサンタ・マリア・デル・ピアント聖堂を建設し、一六六二年に完成した（6-11）。「涙の聖母」という意味のこの聖堂は、ヴェネツィアのサンタ・マリア・デラ・サルーテ聖堂にあたるペスト終息の記念聖堂であり、多くの犠牲者を弔うために城外のポッジョレアーレの丘の共同墓地の近くに建てられた。

6-11　フランチェスコ・アントニオ・ピッキアッティ
ナポリ、サンタ・マリア・デル・ピアント聖堂　1662年

　そこに飾るべく総督の注文で制作されたのがジョルダーノの《ペスト患者を聖母にとりなす聖ヤヌアリウス》（6-12、次ページ）とアンドレア・ヴァッカロの《煉獄の魂をとりなす聖母》（6-13、同）であり、いずれも現在はカポディモンテ美術館にある。ジョルダーノの作品はプレーティの奉納画をほぼ継承しており、聖

（上）6-12　ルカ・ジョルダーノ《ペスト患者を聖母にとりなす聖ヤヌアリウス》1662年　ナポリ、カポディモンテ美術館
（下）6-13　アンドレア・ヴァッカロ《煉獄の魂をとりなす聖母》1660-62年　ナポリ、カポディモンテ美術館

ヤヌアリウスが聖母にナポリの窮状を訴え、それを聖母は十字架を持つキリストにとりなしている。画面下部には、ペスト患者が集められた城壁外のメルカテッリ広場の情景で、死体が積み重ねられている。左下には、ペスト表現のトポス（定型表現）である亡き母親の乳房にすがる幼児がいる。右上には剣を鞘に収める大天使ミカエルがいる。この天使は前述のように、病魔退散のシンボルとして信仰されていた。

聖堂の主祭壇画であったヴァッカロの作品は、煉獄にいる魂のために聖母が右上のキリストにとりなしている。左手に王笏《おうしゃく》を持ったキリストは、聖母に右手を伸ばしてそれに応えているようだ。煉獄の魂は裸で表現されることで、ペストの犠牲者が貴賤も問わずに等しくいたことを示す。人は死ぬと罪の大小に応じて一定期間、煉獄の焔《ほのお》で浄化される必要があるとされ、遺族は死者のためにその期間を短くするために祈ったのだが、聖母は煉獄で苦しむ魂のために神にとりなしてくれることが期待された。

フランシスコ教皇が世界に示したもの

以上見た作品の多くは、画面下部にはペストによる町の荒廃した様子や犠牲者の痛ましい遺体があり、その上に聖人、そして最上部にキリストと聖母がいるものである。それらは、ペストのとき実際に起こった痛ましい事件やその惨状の歴史的な記録としても価値がある。聖母は聖人から報告を受け、キリストにとりなす役割としてこの種のイメージには不可欠であった。中世のペスト流行時にも「慈悲の聖母」が信仰されたように、聖母は疫病から防御してくれる存在として信仰された。ヴェネツィアで聖母に献じられた教会が建てられ、ナポリの七つの城門にプレーティによって聖母が描かれたのはそのためである。そして、病魔が退散して平和が訪れると、それは聖母の働きによるものだと感謝され、ますます聖母崇敬が燃えさかったのである。

霊験あらたかな聖母の像に手を合わせることは、実際は気の休めにすぎないとはいえ、今も多くの人々の拠《よ》り所となっている。フランシスコ教皇は、聖母の画像が今回の新型コロナウイルスにも力を持っていることを世界に示したのだ。

忘却と記憶

「第二の死」と美術

二〇一四年のヨコハマトリエンナーレのテーマは「忘却」であった。「世界の中心には忘却の海がある」とし、企画した森村泰昌氏によれば、芸術とは広大な忘却の海に浮かぶ小さな島のようなものであり、忘却された膨大な芸術に思いをはせようというコンセプトであった。

会場で買ったトートバッグには大きく「忘却」と書かれていたが（6-14）、その言葉通り、すぐにこのバッグを喫茶店に忘れてきてしまい、あわてて取りに戻ったものである。

芸術に限らず、人間はいずれ忘れ去られ、そのときに第二の死を迎えると言われる。逆に、肉体として死んでも、多くの人が記憶しているうちは完全には死んでいないのだ。子孫が語り継ぐこともあれば、事績や作品のみが記憶されることもあろう。

一発屋という言葉がある。ひとつの作品だけがヒットしたアーティストやミュージシャン

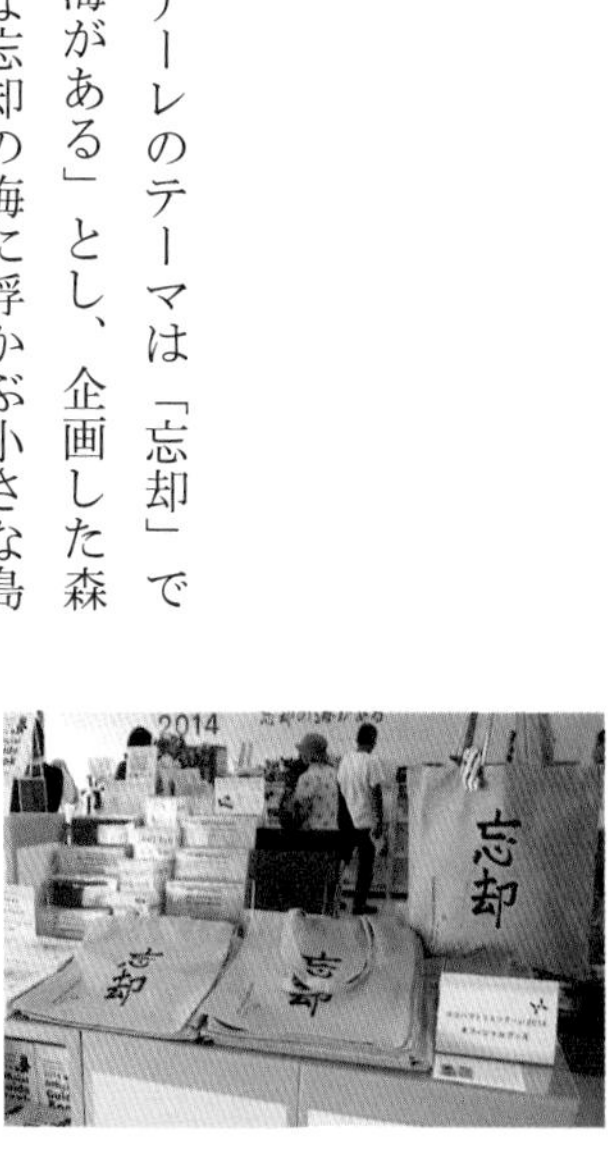

6-14　ヨコハマトリエンナーレ2014のトートバッグ

や芸人のことで、英語ではワン・ヒット・ワンダーという。ただ、一点でも多くの人の記憶に残り、ときどき思い出される作品を生み出すことができた者は幸運である。大半の者は生涯にいくらたくさん作っても、一点もヒット作品を残すことなく忘れられていくからだ。ひとつの曲でも絵でも物語でも、人々の記憶に長く残るものを生み出せれば大成功だったといってよい。

だが、いずれはほとんどの者が完全に忘れ去られるだろう。芸術も永遠ではない。人類の芸術は三万年ほど前に遡るが、今後また三万年もたてばほとんどの芸術は忘れ去られ、跡形もなく消え去っているにちがいない。優れたものが残るとは限らず、すべて偶然の作用次第である。今をときめくアーティストでも、その大半は没後すぐに忘却されるにちがいない。にもかかわらず、わずかな期間だからこそ、あらゆる人間も芸術も価値があるのだろう。数十年でも記憶されたら十分である。私の携わっている美術史も限られた年代の範囲でしか考察できないが、その有限の営みをきちんと評価することが大事なのだ。そして、誰しもがそれぞれの生あるうちは、身近な人たちやその痕跡を覚え、ときに思い出すことに意味があるのだろう。

ヨブの問い

『ファウスト』や『カラマーゾフの兄弟』の構想源

若い頃から聖書に親しんできたが、とくに惹かれたのは旧約聖書のヨブ記であった。裕福で信仰あついヨブが悪魔の奸計によって一朝にして家族や財産を失い、自らも重い皮膚病にかかりながら、見舞いに来た三人の友人たちと論争してその意味を探る話であり、悪が栄え、善が苦しむ世の不条理を鋭く問いかけている。

三人の友人は、因果応報論によってヨブを諫《いさ》めるが、ヨブは身の潔白を訴え、神に直訴する。ウィリアム・ブレイクは晩年、水彩と銅版画でヨブ記の連作挿絵を描いたが（6－15、次ページ）、三人の友人に叱責されるヨブの絶望と孤立が見事に表現されている。

最後に神が大風の中から登場してヨブに語りかけるが、自分の全知全能ぶりを披瀝し、ヨブを叱責して問いつめるばかりで、彼の問いには何も答えていない。しかし、ヨブはそんな神に恐縮して懺悔し、結局、以前にもまして幸福が与えられるというハッピーエンドとなる。

6 - 15　ウィリアム・ブレイク《三人の友人に叱責されるヨブ》1825 年　ニューヨーク、モーガン図書館

この幸福が与えられる結末部分は後世に追加されたらしいが、とうてい納得できる話ではない。

ブレイクの連作挿絵は、慣習的な信仰に生きていたヨブが厳しい試練と神との出会いによって真の信仰に目覚めたという楽観的な物語に止《とど》まっており、テキストを超えたこの画家特有のヴィジョンはほとんど見られないようである。しかし、その平明さゆえに広く普及し、よく知られている。

皮膚病に苦しめられたヨブは、前に見た聖セバスティアヌスや聖ロクスとともに、疫病の守護聖人にもなっている。また、ヨブの苦難はキリストの受難の予型（旧約聖書と新約聖書の内容が対応しているという考え）として、十四世紀の『人類救済の鑑《かがみ》』や中世の写本などでは笞《むち》打たれるキリストと対比してヨブが描写されることもあった。

　また、ヨブの妻は、ヨブに、「あなたは、まだ完全であり続けるのですか。神を呪って死んでしまいなさい」（ヨブ二：九）と言ったことから悪妻の代表とされた。試練に遭いながらも神に祈るヨブを嘲笑する妻が描かれ、悪魔とともにヨブを笞打つ姿で表現されることもあった。しかし、ラ・トゥールの作品（6‐16）では、蝋燭を持つ妻がヨブに話しかけており、嘲笑したり悪態をついたりするようには見えないため、夫に同情し、慰める情景だという解釈もある。ヨブの試練は、皮膚病をのぞけば、財産や子どもたちを失った妻にとっても同じであった。ここでは、悲惨な運命を共有した夫婦どうしの悲しい対話を感じさせるのである。

　ヨブ記はその不条理な内容にもかかわらず、西洋文化史

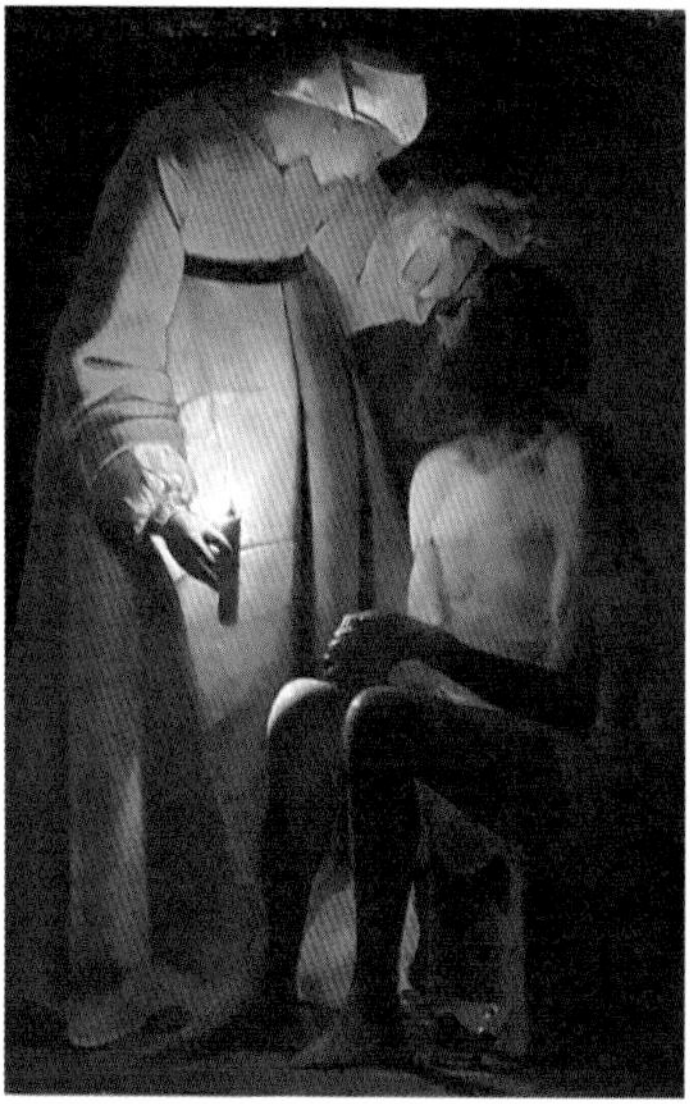

6‐16　ジョルジュ・ド・ラ・トゥール《ヨブとその妻》1630年頃　エピナル、県立古代現代美術館

上きわめて大きな影響力を持ち、ゲーテの『ファウスト』やドストエフスキーの『カラマーゾフの兄弟』の構想源になったのはよく知られている。善人の苦難というもっとも根源的な問題をこれほど正面から取り上げた文書はないからであろう。

クシュナー『なぜ私だけが苦しむのか』

学生時代に浅野順一の『ヨブ記』(岩波新書)を読み、それなりに納得した。ヨブは神が出現することで救われ、神の義の前に屈服して新たな出発を始めるという解釈であり、神と直接対話することこそが重要だという。聖書学者らしい穏当な意見である。

内村鑑三の『ヨブ記講演』(岩波文庫)は、大胆にキリスト教に引き寄せて解釈する。ヨブ記では、あの世は暗黒であって無に近いが、内村は、人間はどんな苦難に遭っても再生することをキリストが保証しているという。ヨブ記の救いのなさを、テキスト外のキリストを導入する牽強付会によって補完するのだが、それによってこの物語に命を吹きこんでいるのもたしかだ。内村の『基督信徒のなぐさめ』(岩波文庫)はこうした考えを応用したものであり、その論理は一貫していてすがすがしい。

H・S・クシュナーの『なぜ私だけが苦しむのか——現代のヨブ記』（斎藤武訳、岩波現代文庫）は、難病の息子を亡くしたラビ（ユダヤ教の教師）が、ヨブと同じ地平に立ってこの問題を検討する。そして、神は不幸を与えるのではなく、そこから立ち直らせてくれる力を与えてくれるのだという結論にいたる。この世の不幸や人の生死は神の意図によるものではなく、神も人間とともに悲しむのだという。そして彼は、息子の死に際して、神から愛や優しさ、勇気や忍耐が与えられたという。

私は二〇一三年に一人娘をがんで失ったが、そのとき親しい友人や牧師がこの本を贈ってくれた。以前に読んだときはそれなりに感心したが、悲嘆の中で再読してみると、怒りさえ覚えた。神が人の生死も左右できないような存在なら、そんなものに祈る意味があるだろうか。祈りとは、超越的な存在に奇跡をこいねがうことにほかならない。娘を助けてくれと日夜祈り続けた私の祈りは無意味だったのだろうか。

ヨブの問いは、一層深まって私の前に黒々と開かれたままだ。

ボルタンスキー　来世のヴィジョン

死、不在、鎮魂

二〇一九年、大阪の国立国際美術館と東京の国立新美術館で、フランスの現代美術家クリスチャン・ボルタンスキーの大規模な展覧会が開催された。ボルタンスキーはもっぱら記憶や歴史、死や不在をテーマにし、写真や光、そして近年では音を使ったインスタレーション（設営芸術）を制作している。

この展覧会は、この美術家の五十年にわたる活動を振り返る日本初の回顧展であった。私は長らく国内外で彼の作品を見てきて、そのすべてに感心できるわけではなかったが、改めてこの美術家の様々な試みを味わうことができた。会場は「出発」と「到着」を意味するフランス語のネオンサインではさまれ、この展覧会全体が、ボルタンスキーの意図によってひとつの大きな作品にもなっている。

彼の作品でもっともよく知られているのは、白黒の肖像写真を組み合わせて積み上げ、電灯で照らし出した一連の作品（6・17）であり、今回も会場の中心に集められていて目を引いた。暗闇の空間と光を効果的に用いており、死者を追悼する記念碑や宗教的な祭壇を思わせる。ユダヤ人の子として生まれたボルタンスキーのこうした作品群は、必然的に第二次世界大戦中のナチスによるユダヤ人の大量虐殺を想起させ、そのため、ねらいが明白すぎてあざといという批判もあった。第二次世界大戦中のユダヤ人迫害やホロコーストといった物語

6・17　ボルタンスキー《聖遺物箱（プーリム祭）》1990年　東京、原美術館
©ADAGP, Paris & JASPAR, Tokyo, 2021 G2592

は、ハリウッド映画をはじめ巷《ちまた》にあふれかえっており、やや食傷気味に思われかねないのだ。

しかし、ボルタンスキーの作品はホロコーストの犠牲者に限らず、死や鎮魂という人間の普遍的なテーマにつながっており、かつての宗教芸術のような荘厳さを感じさせる。実際、彼のインスタレーションはヨーロッパの古い教会の空間の影響を受けており、近代的でニュートラルな美術館を再び宗教施設のような瞑想的な空間に変えようとしたものにほかならない。

この展覧会のために制作されたという最新作は、墓石やビルを思わせる黒く四角いオブジェが集積された暗い空間で、奥の壁に「来世」と大きく書かれた赤い電飾が光っている（6・18）。人間は誰しも、死後も自己が存続することを希望し、多くの宗教はそのことを説得しようとしてきた。死後の世界を想像して表現することも、天国や地獄の絵に代表されるように、世界中で長い歴史を持っている。

にもかかわらず、あの世が、このように単純な文字であまりに直接的に表されていることには戸惑わされる。この安易なサインを見ても来世の様子などわからないし、その存在が具体的に示されているわけでもないが、見る者にひとときでも来世についての問いや想念を促

6 - 18　ボルタンスキー《黒いモニュメント、来世》2018 年
作家蔵

さずにはいない強烈さがあった。

近年の展覧会では珍しく、深刻で重苦しい気分になったが、それこそがボルタンスキーの魅力にほかならない。観客の少ない時間に、一人でじっくり味わうべき展示であった。

彼はその二年後、二〇二一年七月に七十六歳の生涯を閉じた。あの作品の制作時、彼は来世に近づきつつあるのを感じていたのかもしれない。

死後の世界

キューブラー・ロス『死ぬ瞬間』

死後の世界は、キリスト教では、天国、煉獄、地獄があり、古来豊かな想像力によって様々な表現が試みられた。この世の終わりにときにキリストが再臨し、生ける者も死せる者も裁かれるという「最後の審判」は、システィーナ礼拝堂のミケランジェロの大壁画をはじめ、西洋美術史を彩ったテーマである（6-19）。とくに疫病や戦禍に襲われた終末観が支配した中世後半にさかんに表現され、人々の恐怖をあおっては悔悛と信仰を促した。日本でも仏教的な教訓を伝えた国宝《地獄草

6-19　シュテファン・ロッホナー《最後の審判》1435年　ケルン、ヴァルラフ＝リヒャルツ美術館

紙》（6-20）や六道絵をはじめ、地獄や極楽の絵には古い歴史がある。

　しかし現在、そこに描かれたような死後の世界が存在するとまともに信じている人は少ないだろう。

　アメリカの精神科医エリザベス・キューブラー・ロスは、『死ぬ瞬間』（鈴木晶訳、中公文庫）で、死を前にした患者の精神状態を分析した。死を宣告された者は、当初はそれをかたくなに「否認」し、その運命に「怒り」、何とかならないかと「取引」を試み、無駄だとわかって「抑鬱」に陥り、最終的には死を「受容」するという五段階をたどるという。

　実際にはそのとおりでない例も多いが、この研究は、死を受容するときの精神にはじめて注目し

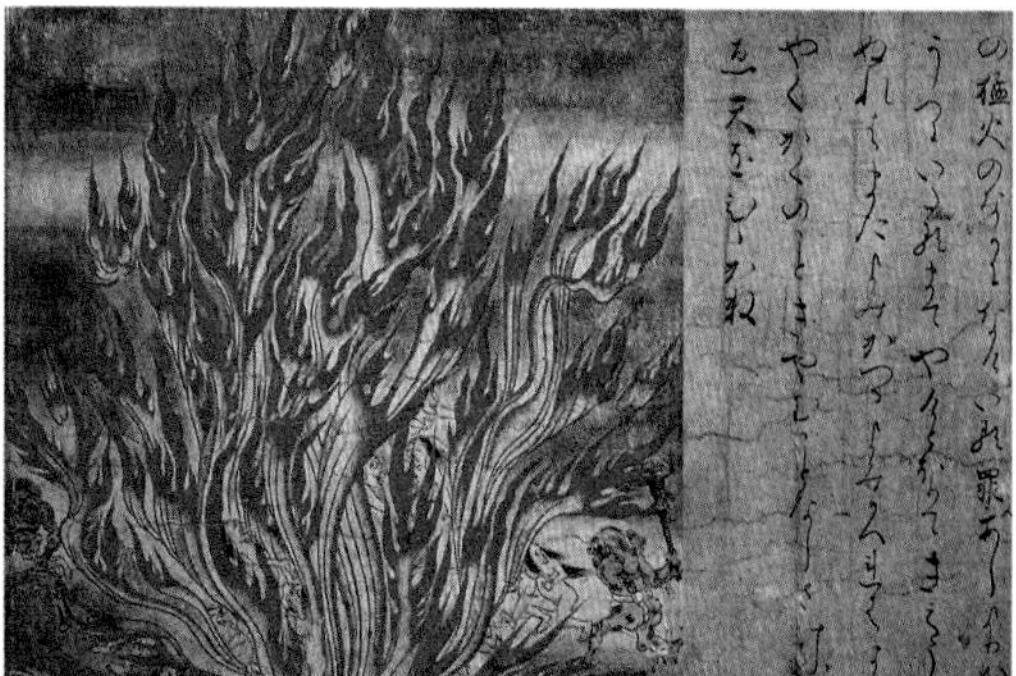

6-20《地獄草紙》部分　12世紀　東京国立博物館

た研究として、終末期医療やホスピスの現場に大きな影響を与えた。さらに、大事な人を亡くしたときの悲嘆も、これと同じ五段階をたどるものとされている。

二〇一三年、がんで死にゆく一人娘を看取《みと》り、その悲嘆を経験した私は、必ずしも段階的に来るものではないが、ロスの理論がおおむね正しいことを実感したものである。

やがてロスは自ら大病したときに幽体離脱や臨死体験を経験し、『死後の真実』（伊藤ちぐさ訳、日本教文社）や『「死ぬ瞬間」と死後の生』（鈴木晶訳、中公文庫）で、魂と死後の世界について発言するようになった。あの世の存在だけでなく、生まれ変わりや前世などについても大胆に論じたが、あまりに非科学的だという批判もあり、彼女をオカルト視する風潮も生まれた。しかし、初期から彼女の著作に一貫しているのは、死にゆく人間への愛であり、それが大きいあまり、死後もその魂が継続すると考えるのは当然である。

沈黙の「死後の世界」

人間は死後どうなるのだろうか。前述のヨブ記を含め、旧約聖書の世界では死後は虚無であったが、新約聖書ではルカ伝十六章にある「アブラハムの懐」のほか、永遠の生命や死後の復活も示唆されている。しかし、死者がどこにいて、死後の世界がどうなっているかについては、ほとんど語ってくれない。キリスト教の根本教典でありながら、これほど大事なことに沈黙する聖書に価値があるのだろうか。幼少時から親しんできた聖書が、今の私には色あせて見えている。

死後の世界に対する考え方が地域や時代によって実に千差万別なことは、フランソワ・グレゴワール『死後の世界』（渡辺照宏訳、白水社文庫クセジュ）が簡潔にまとめてくれている。プラトン以来、多くの哲学者は来世の存在を証明しようとしたし、宗教もそうであった。輪廻転生を説く仏教やヒンドゥー教では、基本的に死後の世界は存在しない。キリスト教やイスラム教は信心深い者が天国に行けると教えるが、信仰がなくとも正しかった者はどうなるのかはわからない。日本では、柳田国男が『先祖の話』で説いたように、あの世はこの世と離れずに重なっており、死んで一定期間たつと魂は祖霊となって故郷の里山に留まり、子孫を見守るという他界観があった。

レイモンド・ムーディの『かいまみた死後の世界』（中山善之訳、評論社）や立花隆『臨死体験』（文春文庫）にあるように、臨死体験では、似たような光のトンネルをくぐり、お花畑のような光景や先に死んだ親族に出会う者が多い。しかもそれらがはっきりと知覚され、心地よさを覚えるのだという。こうしたヴィジョンは、個人的な幻覚とは片付けられず、あの世の存在を示すものだと主張する者もいる。しかし、それを語るのは、結局は死ななかった者に限られるため、説得力に乏しいといわざるをえず、脳内現象だったにすぎないと考えるのが自然だ。

光のトンネルは、ヒエロニムス・ボスが一五〇〇年頃に描いた《祝福された者の昇天》(6-21)がまさにそれを思わせる。ヴェネツィアのアカデミア美術館にある四点の連作のうち一点で、おそらく「最後の審判」を構成していた多翼祭壇画の一部であった。天使に支えられた死者が、光のトンネルに向かっていく。トンネルの奥からはまばゆい光が差している。信心深い者が死後、守護天使に導かれて天国に行く情景として描かれたと思われるが、臨死体験者の体験を視覚化したものであろう。立花隆の『臨死体験』の表紙にも用いられている。

現代の科学からすれば、死んだ時点ですべて無になると思うほかないだろう。だが、魂は残ると考える人も多い。私もなんとかその確証を得たいと、オカルトものを漁《あさ》り、量子力学にも期待してしまう。死後のことは死ぬまでわからないのはたしかであり、生きている間はけっして知りえないのだろう。パスカルは、どうせわからぬのなら来世の存在に賭けて生きるほうが賢明だと説いた。

死後の世界についての議論は、結局は神と同じように、信じるか信じないかということに帰着する。私のように、それを信じなければ生きていけなくなった者にとっては、存在しなければならないものなのだ。

6‐21　ボス《祝福された者の昇天》1500‐04年　ヴェネツィア、パラッツォ・ドゥカーレ

苦難を生きる意味

人が絶望に直面したとき

第三章「残照の美術」でふれたヴィクトール・E・フランクルの『夜と霧』は、がんで余命わずかとなった娘が読んでもっとも感銘を受けた本であった。強制収容所から奇跡的に生還した精神科医が、どんな状況でも生きる意味があると説く有名な本だ。そこには、「私たちは生きることから何かを期待するのでなく、生きることが私たちから何を期待しているかが問題だ」という有名なテーゼがある。

狂信的だった私は、なんとか娘を力づけようとして、日夜を問わず加持祈祷し、無理に聖書を読ませようとし、死後の救済や天国のことを信じさせようと努力した。私自身が、娘を喪失することを恐れるあまり、必死でその信念にすがっていたのだ。彼女はここよりもっとすばらしい世界に先に移るだけであり、いずれそこで再会できるはずだと。しかし、そういう話に娘はほとんど耳を貸さず、祈りを合わせるのも乗り気でなかった。

フランクルの主張は、『それでも人生にイエスと言う』（山田邦男・松田美佳訳、春秋社）にも繰り返されているが、神も天国も一切登場しない。もうすぐ死ぬとわかっていても、一瞬一瞬を真剣に生きることこそが大事であって、死後のことは問題としていないのだ。

内村鑑三の『後世への最大遺物』（岩波文庫）は、これにやや通じるものがある。その人がたとえ何も残さずに生を終えたとしても、与えられた人生をひたすら真面目に生きることが、後世への最大の遺産になるという。昔、私がその話を娘にしたところ、熱心に耳を傾けていたのを覚えている。もっとも内村は、天国を深く信じており、家族に先立たれたときは天国に親族ができたのを喜ぶべきだとまで書いているのだが、そこにはそうした神頼みは登場しない。

フランクルは、苦しみと向き合い、引き受けることに人間としての価値があると説く。そして、「生きる意味とは、死を含む全体としての意味であり、生きることの意味だけに限定されない」。そういう彼の本は、死を前にした娘の心にもっとも響いたのである。

娘は、末期がんを宣告されてから半年間、あらゆる苦痛に黙って耐え、一言も泣き言をもらさず、当り散らすこともなく、以前と同じように誰にでも優しく、体調のよいときはよく笑った。その姿に私と妻はどれほど救われたかしれない。

その陰には、苦難と絶望に面したときの態度こそが人生を決定するという、フランクルの教えがあったと思っている。彼の本に影響されたというより、それが娘の信念と覚悟にぴたりと一致したのだろう。

今もそのままにしてある娘の机に置いてあるフランクルの二冊の本を、久しぶりに手に取って開いてみた。娘がどんな気持ちでこの箇所を読んだのだろうと想像すると、たちまち涙でかすんで読み進められなくなった。フランクルの本は、娘の生を最後まで輝かせてくれた聖書のようなものだったのだ。

最期の絵

一期一会

一期一会とは茶道に由来する言葉で、茶会で対面する人とは一生に一度しか会えないものと心得て誠意を尽くすという意味である。実際、人間の出会いとはそういうものであろう。思うに、出会うべき人間は人生のしかるべきときに会っており、年を経るにつれて、その数が減っていくのではないだろうか。重要な人間にはしかるべき時期に会うはずであり、そういう人は一度会っただけでも自然に覚えるはずだ。

本や音楽も、そして美術館や展覧会で出会う美術作品もそうである。一度見ただけで忘れない作品もあれば、何度見ても記憶に残らないものもある。

私は、一度見た作品はもう二度と見ることはないと思って見ることにしている。旅行するときもそうで、同じ地には二度と来ることはないと思って旅している。そのほうが風景も雰囲気も印象に残りやすいし、その地への愛着もわく。

人間も同じで、大半の人間とは二度と会うことがないと思って接している。青年期ならともかく、人生の終盤に近づけば、実際にもう二度と行かない土地や会わない人のほうが増えていくだろう。今まで行った土地や会った人物、見てきた作品だけで自分の人生はもう十分だという気がする。

最期に見たい絵

よく、最後の晩餐は何がよいかという話題になる。死ぬ間際に好きなものを食べられるとしたら何がよいかという問いだ。拙著『食べる西洋美術史』(光文社新書)ではそのことを論じたが、同じように、最期に見たい絵というものがあるとすれば、何がよいだろうか。

中世のわが国では、阿弥陀仏が来迎する絵を眺めながら臨終を迎えると浄土に行けると思われており、実際に枕元に来迎図を掛けさせることがあった。永観堂禅林寺や金戒光明寺にある《山越阿弥陀図》(6-22)には臨終者と結びつけられた五色の糸の切れ端やそのための穴が阿弥陀の手の部分に残っている。山を越えて迎えに来てくれる阿弥陀の姿は、極楽浄土に導かれるような安心感を与えたであろう。画像が安らかな死のために大きな役割を果たし

6 - 22 《山越阿弥陀図》13 世紀前半　京都、金戒光明寺

ていたのだ。

また、西洋には、囚人の世話をする信心会があり、処刑直前の死刑囚に聖画を見せて最後の悔悛を促すという習慣もあった。十字架から降ろされたキリストの遺骸を中心とする「哀悼」の情景が描かれることが多かった。

フィレンツェのサンタ・マリア・クローチェ・アル・テンピオ信心会は、十四世紀以降、死刑囚の臨終に立ち会い、彼らの魂を救済し、その遺骸を埋葬する団体であった。城壁外の処刑場と墓地に礼拝堂があり、その祭壇にはベアト・アンジェリコの《哀悼》（6 - 23、次ページ）が掛けられていた。死刑囚は牢獄を出て車に乗せられて処刑場に連れて来られ、この礼拝堂で悔悛を促された。絵にはキリストの遺骸を囲んで嘆く人々が描かれているが、中央に十字架に架けられてキリストの遺骸が降ろされた梯子《はしご》がある。キリストは地上と天上、人と神とを架橋する存在であり、十字架にかかった梯子はそれを表す「ヤコブの梯子」、つまり天国への梯子を表す。この梯子は同時に、礼拝堂の前にあり、囚人がこれから上らねばならない絞首台の梯子に重なった。この絵の前で悔い改めてキリストを受け入れれば、絞首台の梯子も天国への梯子になりうるのだということを表しているのである。

そして、会士たちは車の上から絞首台での処刑の寸前までずっと死刑囚の顔に柄のついた

6-23　ベアト・アンジェリコ《クローチェ・アル・テンピオの哀悼》
1436年　フィレンツェ、サン・マルコ美術館

板絵をかざして、ときには接吻させた。こうした聖画はタヴォレッタと呼ばれる。死刑囚の顔に板絵をかざすことで、死刑囚の顔を衆人の目から隠すのと、死刑囚に衆人を見せない効果もあった。

ローマのサン・ジョヴァンニ・デコラート信心会も、フィレンツェのサンタ・マリア・クローチェ・アル・テンピオ信心会と同じく、長らく囚人の面倒を見て死刑囚を埋葬する事業を行っていた。そこにはこうしたタヴォレッタがいくつか残っているが、その多くにもやはり「十字架降下」の梯子が描かれている。死の直前でもキリストの尊い犠牲に思いを馳せ、それにすがることが死後の救済につながると考えられたのだ。死の直前まで絵を見せる。美術の国イタリアならではの習慣である。

現在では臨終を迎えるときは、家族か医療関係者に看取られることがほとんどで、部屋に掛かっているのでもないかぎり、絵を見ることはない。私も美術史家でありながら、今際《いまわ》の際にはどんな絵も見る気が起きないだろう。十字架降下の絵はもちろん、どんな甘美な聖母像も阿弥陀来迎図もいらない。やがてお迎えに来てくれるはずの懐かしい顔を思い浮かべるだけで十分なのだ。

あとがき

本書は、前著『欲望の美術史』『美術の誘惑』『美術の力』(いずれも光文社新書)と同じく、私が十年前から毎月『産経新聞』夕刊に連載している「欲望の美術史」の二〇一七年十二月から二一年八月までの記事を中心に、別の媒体に載せた記事や新たに書き下ろした原稿を加えたものである。『産経新聞』の連載以外の初出は以下の通りだが、いずれも大幅に加筆修正して再構成している(カッコ内は連載タイトル)。

・名画のはらむ新解釈——『神戸新聞(21世紀の人文学)』二〇二〇年五月十五日
・ルネサンスのライバルたち——『週刊読書人』二〇一九年八月二十三日
・フランス・ハルスの集団肖像画——書き下ろし

・墓場としてのミュージアム――『月刊みんぱく』二〇〇六年六月号
・酒と美術――『酒と風』創刊号、二〇二一年十月
・美術と犬――『藝術文化雑誌　紫明』第四十九号、二〇二一年十月
・宗教とスキャンダル――書き下ろし
・レーピンと並ぶロシアの巨匠スリコフの歴史画――書き下ろし
・日本のカトリック壁画――書き下ろし
・ナチス美術の闇――『日本経済新聞』二〇一一年九月十八日、二〇二一年四月十日
・疫病と聖母――『須田記念　視覚の現場』第四号、二〇二一年二月
・忘却と記憶――『神戸新聞（随想）』二〇一八年七月五日
・ヨブの問い――『日本経済新聞（半歩遅れの読書術）』二〇一六年五月十五日
・死後の世界――『日本経済新聞（半歩遅れの読書術）』二〇一六年五月二十二日、『神戸新聞（随想）』二〇一八年八月七日
・苦難を生きる意味――『日本経済新聞（半歩遅れの読書術）』二〇一六年五月二十九日
・最期の絵――『神戸新聞（随想）』二〇一八年八月七日

本書は二〇一九年に二度訪れたロシアなど、あちこちへの旅の印象も書いているが、二〇二〇年から二一年はコロナ禍によって美術館や博物館が閉館したり、展覧会が中止されたり、さらに海外渡航が不可能になったりと、実際に美術にふれる機会が著しく減少してしまった。その結果、第四章の「オンラインと対面」で書いたように、美術にとっていかに実物に対面することが重要かを再認識することとなった。また、授業や会議、学会や研究会もオンラインとなり、実際に人に会う機会も激減した。ただ、家にいる時間が増えたこの機会に、それまで読んでいなかった膨大な書物を読むことができ、作品を離れて改めて美術について考えるよい機会にもなった。

すでにあちこちに何度も書いており、本書でも第六章の「ヨブの問い」や「苦難を生きる意味」に書いたが、私は二〇一三年に一人娘を失い、その悲嘆からいささかも立ち直っていない。そして、大きな悲嘆や絶望に対しては、美術は何の力ももたないという厳然たる事実に直面した。

それ以降、毎週の墓参りの合間に惰性と暇つぶしで細々と美術史の研究と教育を続け、文章を書いて本を作ることでやりきれない思いをまぎらわせてきた。かつてのように美術を無邪気に称賛することはなく、基本的にすべて無意味だと思っている中で、少しでも私の興味をひいたり、琴線にふれたりした作品や作家を選り好んで論じたのが本書である。癒しという言葉は嫌いだが、美術は宗教と同じく、根本的な救いにはならないものの、ときに絶望にも寄り添うことができる存在だと思うにいたっている。ある種の美術にはそんな力があるはずだ。

末筆ながら、毎月の連載を支えてくださっている産経新聞編集委員の正木利和氏に感謝したい。また、本書の企画と構成を考えてくださり、いつもながら的確な判断と采配によってまとめてくださった光文社の小松現氏には感謝してやまない。

本書もまた娘の麻耶に捧げる。

炎熱のわが子の墓石に額つく

二〇二一年夏　宮下規久朗

本文デザイン　熊谷智子

宮下規久朗（みやしたきくろう）
1963年愛知県名古屋市生まれ。美術史家、神戸大学大学院人文学研究科教授。東京大学文学部美術史学科卒業、同大学院修了。『カラヴァッジョ――聖性とヴィジョン』（名古屋大学出版会）でサントリー学芸賞などを受賞。他の著書に、『食べる西洋美術史』『ウォーホルの芸術』『美術の力』（以上、光文社新書）、『刺青とヌードの美術史』（NHKブックス）、『モチーフで読む美術史』（ちくま文庫）、『闇の美術史』『聖と俗』（以上、岩波書店）、『そのとき、西洋では』（小学館）、『聖母の美術全史』（ちくま新書）など多数。

名画《めいが》の生《う》まれるとき　美術《びじゅつ》の力《ちから》Ⅱ

2021年10月30日初版1刷発行

著　者――宮下規久朗
発行者――田邉浩司
装　幀――アラン・チャン
印刷所――堀内印刷
製本所――国宝社
発行所――株式会社光文社
東京都文京区音羽1-16-6(〒112-8011)
https://www.kobunsha.com/
電　話――編集部03(5395)8289　書籍販売部03(5395)8116
業務部03(5395)8125
メール――sinsyo@kobunsha.com

　ISBN 978-4-334-04568-5

1140
スポーツとしての相撲論
力士の体重はなぜ30キロ増えたのか
西尾克洋
「決まり手」「体格」「怪我」「指導」「学歴」「国際化」「人気低迷」。7つのキーワードから見えてくる、伝統と進化のはざまで揺れ動く大相撲の現在。幕内全力士の解説付き！
978-4-334-04548-7

1141
糖尿病の真実
なぜ患者は増え続けるのか
水野雅登
「インスリンは一生のお付き合い」「糖尿病は不治の病」は本当なのか。脱インスリン率100％の実績を持つ著者が、実際の治療例を紹介しつつ、現在の糖尿病治療の実情と問題点を解説。
978-4-334-04549-4

1142
「日本型格差社会」からの脱却
岩田規久男
戦後は日本しか経験していない長期デフレを原因とすることから、他国とは様子の異なる日本の格差。縮小するにはどうするべきか。日銀副総裁を務めた著者が具体的な政策を提言。
978-4-334-04550-0

1143
子育て罰
「親子に冷たい日本」を変えるには
末冨芳　桜井啓太
「子育て罰」とは、社会のあらゆる場面で、まるで子育てすること自体に罰を与えるかのような政治、制度、社会慣行、人びとの意識。「子育て罰大国・日本」を変える方策とは。
978-4-334-04551-7

1144
孤独は社会問題
孤独対策先進国イギリスの取り組み
多賀幹子
世界で初めて「孤独担当大臣」を設け、EU離脱後も混乱が続く国で、いま何が起きているのか。日本が学べることは何か。イギリス社会を見続けてきたジャーナリストが現地から報告。
978-4-334-04552-4

1145
ダイエットをしたら太ります。
最新医学データが示す不都合な真実

永田利彦

「ほぼ確実にリバウンド」「BMI18・5未満の死亡率は2倍」「小太りが一番長生き」――ダイエットは百害あって一利なし。摂食障害が専門の精神科医が「やせ礼賛」文化を斬る！

978-4-334-04553-1

1146
教養としてのロック名曲ベスト100

川﨑大助

現代人の基礎教養、ロック名曲100を、これまでにない切り口で紹介・解説。著者の主観・忖度抜き、科学的な手法で得られた驚愕のランキングの1位は？　サブスク時代に最適のガイド。

978-4-334-04554-8

1147
日本のバドミントンはなぜ強くなったのか？

藤井瑞希

近年、なぜ日本のバドミントンは国際大会で目覚ましい結果を残しているのか。ロンドン五輪女子ダブルス銀メダリストの著者が自身の軌跡を振り返りながらその強さの秘密を語る。

978-4-334-04555-5

1148
腸と森の「土」を育てる
微生物が健康にする人と環境

桐村里紗

人の不調と、環境の不調は「土」でつながっている――最も身近な自然環境＝「腸内環境」と心身の関係、日々の食事の選択の重要性と方法を「プラネタリーヘルス」の観点から説く。

978-4-334-04556-2

1149
世間体国家・日本
その構造と呪縛

犬飼裕一

この国を支配する「空気の構造」とは？　そして、他人の目が気になるのはなぜ？　家庭で、学校で、社会で、人の心の中で、世間体はどう作用しているのか。歴史社会学者が多角的に考察。

978-4-334-04557-9

1150
「孤独」という生き方
「ありのままの自分」でいることのできる、自分だけの居場所を求めて
織田淳太郎

自らの体験に加え、孤独な生き方を実践する人たちへの豊富な取材を基に、人間の根源的な欲求を突き詰め、真に「生きる」とはどういうことかを考察する実用的ノンフィクション。

978-4-334-04558-6

1151
ニュースの未来
石戸諭

テレビ、新聞、出版…ニュースを巡る環境が悪化するなか、本当にこれらのメディアに未来はないのか。気鋭のノンフィクションライターが、ニュースの本質とその未来に迫る。

978-4-334-04559-3

1152
「ボヘミアン・ラプソディ」の謎を解く
〝カミングアウト・ソング〟説の真相
菅原裕子

同名映画も大ヒットした「過去1000年で最も重要な曲」にフレディ・マーキュリーが込めたメッセージとは。膨大な資料をもとに、近年ささやかれている、ある「仮説」を検証。

978-4-334-04537-1

1153
日本の食と農の未来
「持続可能な食卓」を考える
小口広太

食の大部分を海外に依存している日本。国内の農業は高齢化や後継者不足が進み、待ったなしの状況にある。今、私たちは何を考え、行動すべきなのか。「等身大の自給」について考える一冊。

978-4-334-04560-9

1154
新聞記者、本屋になる
落合博

新聞記者であった著者はいかにしてひとり本屋を始めることができたのか。定年目前の58歳、子どもは3歳、書店員経験は0。第二の人生、妻の反対を押し切っての本屋開業記!

978-4-334-04561-6

1155
ルポ コロナ禍で追いつめられる女性たち
深まる孤立と貧困
飯島裕子
臨時休校、おうち時間、休業補償、テレワーク……。コロナ禍で生じた出来事の多くでより深刻な状況に陥ったのは女性だった。その背景にあるものを、当事者への取材から探る。
978-4-334-04562-3

1156
日本のジーパン
林芳亨
米国で生まれたジーンズがいかに日本で独自の発展を遂げたのか？　ジーンズ界の重鎮である著者がジーンズの歴史や、日本における受容のプロセス等「ジーパン愛」を語り尽くす。
978-4-334-04563-0

1157
脳の寿命を延ばす「脳エネルギー」革命
ブドウ糖神話の崩壊とケトン体の奇跡
佐藤拓己
巨大で大食漢な働き者「脳細胞」を長持ちさせる助っ人とは⁉ ヒトの脳の発達を可能にしたエネルギーとしてケトン体に注目。認知症・うつを防ぎ健康にも役立つ栄養摂取法を考察する。
978-4-334-04564-7

1158
田舎暮らし~~読~~毒本
樋口明雄
田舎暮らしにスローライフは存在しない！　東京から自然豊かな地方に移住して20年の小説家が満を持して贈る、田舎暮らしのノウハウと闇。本書を読まずして移住するべからず！
978-4-334-04565-4

1159
知ってるつもり
「問題発見力」を高める「知識システム」の作り方
西林克彦
「わからない」を見つけるために「きっちりわからなくなる」には？　ロングセラー『わかったつもり』刊行から16年。今最も求められる「問題発見力」を身につける方法を解説。
978-4-334-04566-1

1160
大下流国家
「オワコン日本」の現在地
三浦展
経済力の低下、人口縮小、ジェンダー格差、メディアの怠慢……この国はどこまで堕ちてゆくのか？　80万部超のヒット作『下流社会』から16年、最新データを基に再び日本を斬る。
978-4-334-04567-8

1161
名画の生まれるとき
美術の力II
宮下規久朗
人間にとって必要不可欠な「美術の力」とは？「名画の中の名画」から「美術鑑賞と美術館」「描かれたモチーフ」「信仰と政治」「死と鎮魂」まで。美術史家と読む、美術の本質に迫る55話。
978-4-334-04568-5

1162
野蛮な大学論
酒井敏
大学人よ、学問の本道に戻って野蛮さを取り戻せ！「京大変人講座」主宰の京大名物教授が、大学、アカデミズム、教養の本質をズバリ指摘する。豊かな社会のための大学改革論。
978-4-334-04569-2

1163
「問い」から始まる哲学入門
景山洋平
2600年にわたる哲学者の語りあい。そこでは何が問われたのか。なぜ「問い」続けてきたのか――。「問い」の歴史とその意味を知る、不確かな世界を生き抜くための哲学入門。
978-4-334-04570-8

1164
物理学者、SF映画にハマる
「時間」と「宇宙」を巡る考察
高水裕一
フィクションが未来の科学を導く!?　タイムトラベルから星間飛行まで、物理学者とともに探る一度は夢見たSF世界の可能性。科学の目で見直せば、SF映画はもっと楽しくなる！
978-4-334-04571-5